FANTASÍA UNDERGROUND

Cómo dibujar ZOMBIS

Por Mike Butkus y Merrie Destefano

1a. edición, marzo 2011.

How to Draw Zombies
Mike Butkus & Merrie Destefano

Nicolás San Juan 1043, Col. Del Valle
03100 México, D.F.
Tels. 5575-6615, 5575-8701 y 5575-0186
Fax. 5575-6695
http://www.grupotomo.com.mx
ISBN-13: 978-607-415-252-4
Miembro de la Cámara Nacional
de la Industria Editorial No. 2961

Traducción: Ivonne Saíd Marínez
Formación tipográfica: Armando Hernández
Supervisor de producción: Silvia Morales

Este libro se publicó conforme al contrato establecido entre *Walter Foster Publishing, Inc.* y *Grupo Editorial Tomo, S.A. de C.V.*

Impreso en China - *Printed in China*

FANTASÍA UNDERGROUND

Cómo dibujar ZOMBIS

Por Mike Butkus y Merrie Destefano

Grupo Editorial Tomo, S.A. de C.V.,
Nicolás San Juan 1043,
03100 México, D.F.

Contenido

Introducción 5
Capítulo 1: Lo esencial de los zombis 6
La historia del zombi 8
Anatomía de un monstruo 12
Concentrándonos en las facciones 14
La evolución del zombi 16
Tácticas de supervivencia 18
Creando el escenario 19
Capítulo 2: Cómo dibujar zombis 20
Materiales de dibujo 22
Reina de belleza zombi 24
Zombi en la tumba 32
Adolescente asesina de zombis 38
Zombi en tabla de nieve 44
Zombi en la tumba con niebla 50
Zombi en el cajero automático 56
Capítulo 3: Cómo pintar zombis 62
Material para pintar 64
Retrato de un zombi malvado 66
Chica zombi gótica 72
Muñeca vudú 78
Mascota zombi 84
Refrigerio de media noche 90
Capítulo 4: Zombis e Ilustración digital 98
Material para ilustración digital 100
Romance zombi 102
Reina vudú 108
Zombi asesino 116
El increíble apocalipsis zombi 122
La pesadilla termina 128

Introducción

El zombi, conocerlo es temerle.

Viaja en manada, le gusta la carne humana, y por lo general representa el final de la vida como la conocemos. Igual que una escena de una película de terror de 1960, el grupo de muertos vivientes sale de la nada. Camina arrastrando los pies, tiene los ojos hundidos, los dientes rotos y la piel pálida como la luna que se parte y se despelleja con demasiada facilidad. De alguna manera, estos monstruos consiguen moverse a pesar de que les faltan dedos o extremidades. Pueden tener un pie volteado de lado o quizá una oreja torcida y colgada, pero no importa. Estas criaturas no sienten dolor. Ni siquiera se comunican entre sí. Y si piensas que andan tranquilamente sin dirección, te equivocas.

Tienen una misión, su apetito es insaciable.

Y les encantaría agregarte al menú.

Acabas de entrar a Fantasía Underground, una tierra donde las pesadillas surgen de las tinieblas de la imaginación, un sitio donde nacen las criaturas oscuras, el jardín de juegos supremo donde aprenderás cómo dejar tu huella en la siempre cambiante leyenda de los zombis. No importa si estás ansioso por aprender a dibujar a estos monstruos, si deseas pincelar el folclor zombi o si planeas escribir tu propia historia sobre este popular monstruo, estás en el lugar perfecto. Toda la información, la inspiración y las instrucciones que necesitas las encuentras aquí.

Pero ya estás avisado, y quizá debas leer este libro con todas las luces encendidas, y todas las puertas y ventanas bien cerradas. Porque los zombis andan sueltos.

Y lo último que se supo es que tienen hambre.

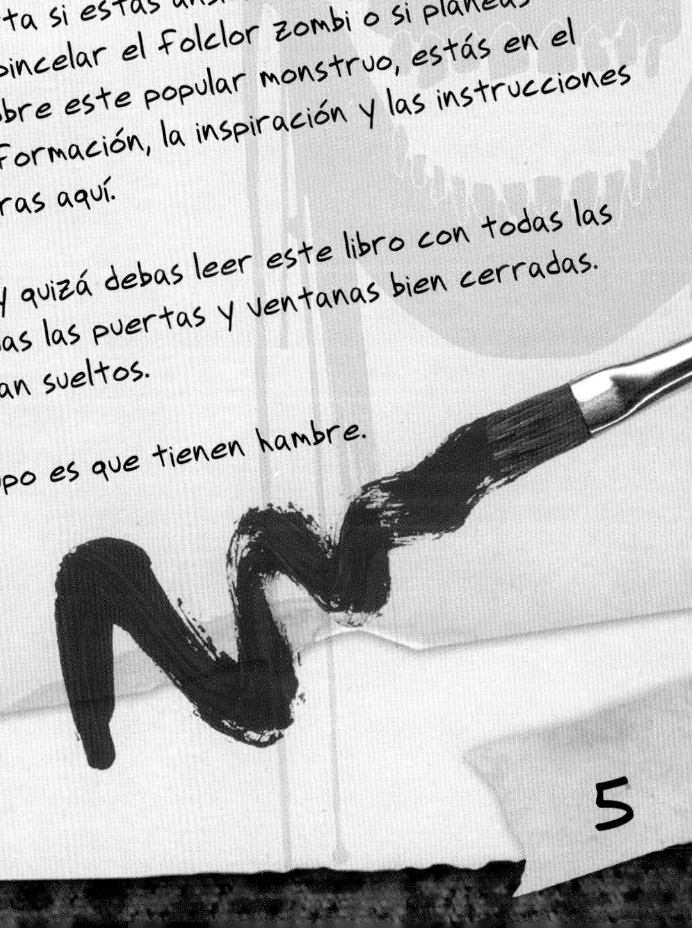

Capítulo 1:
Lo esencial
de los zombis

La historia del zombi

Comienza la pesadilla

Alguna vez fueron humanos estas bestias que abarrotan las pantallas de cine, la novela moderna y una que otra pesadilla. Vivieron, rieron, amaron, murieron; pero entonces, surgió un cambio en la legendaria trama: no se quedaron en la tumba. Volvieron con hambre y ganas de vengarse.

Se volvieron zombis.

Salidos de las tumbas y los cementerios, ellos son los muertos vivientes.

Si este místico monstruo no te deja dormir por la noche, quizá sea porque contiene trozos de las leyendas más aterradoras. El zombi se ha reconstruido, al estilo monstruo Frankenstein, durante cientos de años. Envuelto en mortajas hechas jirones, el zombi personifica nuestros recuerdos colectivos de veneración ancestral y nuestro miedo a la muerte. Ha pasado por la historia cubierta de niebla de Inglaterra, Alemania, Rumania, Islandia, Brasil, Haití, África Occidental y Estados Unidos, antes de llegar a las pantallas de cine en la película de 1968 de George Romero *La noche de los muertos vivientes.* Podrías pensar que estas criaturas se lanzaron a la arena pública por primera vez en la película de 1932 *La legión de los hombres sin alma*, protagonizada por Béla Lugosi; o *La rebelión de los muertos*, de 1936. Pero lo cierto es que los orígenes macabros de la leyenda zombi comenzaron mucho, mucho tiempo atrás, en una época en la que todas nuestras historias se contaban en voz baja, cuando hombres y mujeres se ponían en cuclillas por temor a los caprichosos dioses que adoraban.

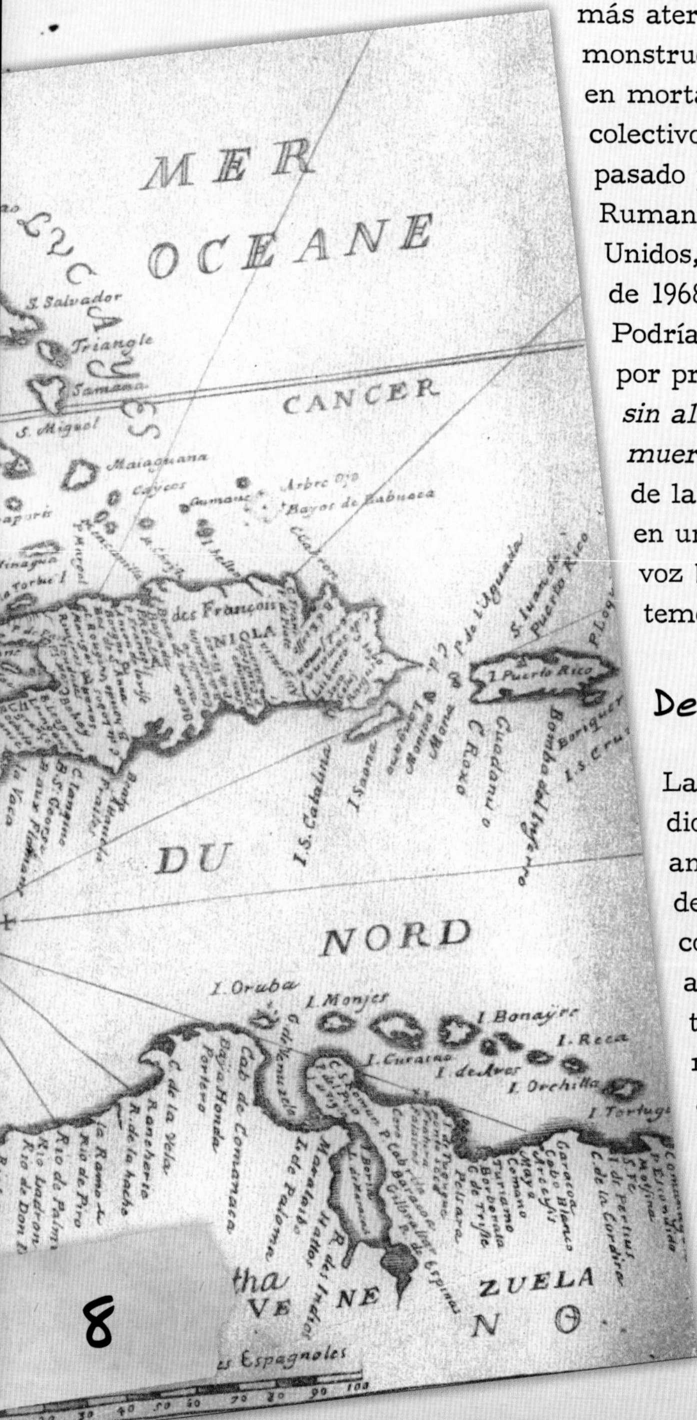

De vuelta al pasado

La leyenda de los zombis inició con seres legendarios: los dioses de la antigua Grecia, Egipto y Sumeria. En el mundo antiguo, se creía que sólo un dios podía recorrer la distancia de la muerte a la vida. Como la fruta prohibida, no era cosa de mortales. En las leyendas griegas, el amor condujo a Orfeo a su viaje por el mundo de los muertos, de donde trató de rescatar a su esposa Eurídice. Casi logra traerla de regreso, pero desobedeció las órdenes de Hades y miró hacia atrás para ver a su esposa antes de que salieran al mundo de los vivos. Una historia egipcia similar, envuelta en mito, cuenta que Osiris, quien murió a manos de su hermano Seth, fue resucitado mágicamente por su hermana y esposa Isis. Conforme pasaba el tiempo, y la historia volvía a contarse, se transformaba, dándole inmortalidad a los reyes egipcios y luego, más tarde, en la era del Nuevo

Reino (del siglo XVI a.C. hasta el siglo XI d.C.), a todas las personas que conocían y practicaban los rituales correctos.

Este es el camino torcido que a veces toman las leyendas, cambiando ligeramente cada vez que se cuentan.

Conforme el tiempo pasó, las historias comenzaron a extenderse por todo el mundo sobre otros que habían regresado de la muerte. Desde las narraciones sumerias del dios-rey Tammuz rescatado del mundo de los muertos por Inanna, hasta las historias del viejo Testamento hebreo de Elías y Eliseo resucitaban niños, pasando por los asesinatos ceremoniales celtas de un rey avejentado en la creencia de que su espíritu habitaría en un rey más joven, la muerte era vista como una puerta que se abría a los dos mundos.

Por desgracia, cuando se abrió, los que pasaban a través de ella no siempre eran muy amistosos.

Ancestros comunes

Hoy, nosotros, los que vivimos en el mundo Occidental, vemos a los fantasmas como insustanciales y sin sustancia. Pero no siempre fue así. Este punto de vista particular de los espíritus no se volvió popular hasta la era victoriana. Antes de eso, se creía que los muertos que regresaban eran criaturas corpóreas con la capacidad para hacer bien o mal, aunque generalmente se inclinaban por el mal.

En Rumania, esas criaturas se llamaban moroi (espíritus buenos) o strigoi (espíritus malos). Cuando se creía que eran miembros fallecidos de la familia, estos emisarios de los muertos que volvían eran invitados a las casas y se les daba comida. Este fantasma en particular es un ancestro común de los vampiros y los zombis. En Islandia, los vikingos creían en los draugars, criaturas de cuerpo blanco o negro como el carbón que volvían de la tumba con malas intenciones. Muchas de las "Sagas de los islandeses" de los siglos IX a XIV d.C., como Laxdoela, Eyrbyggja y Grettis, incluyen historias de hombres muertos que regresaban para vengarse o por diversión. Se creía que el draugar se comía la carne y se bebía la sangre de sus víctimas.

De los siglos XII a XV, tanto Inglaterra como Alemania se unieron a las leyendas, con historias de fantasmas medievales escritas por monjes, cortesanos y eclesiásticos. Entre los escritores ingleses se encontraba William de Newburgh (1136-1198), un canónigo de Yorkshire que escribía que los fantasmas atacaban a la gente y se bebían su sangre; y un monje del siglo XIV de la abadía Byland, que escribía sobre James Tankerlay, un fantasma de triste fama que volvió de la tumba para atacar a su antigua concubina. Walter Map (1140-1210), cortesano del rey Enrique II de Inglaterra, escribió algunas de las primeras historias de vampiros, mientras que su contemporáneo William de Newburgh (1136-1198) escribía sobre apariciones medievales, cadáveres que volvían de la tumba.

En este punto, la puerta al mundo de los muertos ya no se abría de vez en cuando, se había quedado abierta de par en par. Estos fantasmas y espíritus del folclor escrito tenían cuerpos físicos, podían comer, beber alcohol y pelearse con los humanos. Como niños desobedientes, se negaban a quedarse en la tumba por las noches, prefiriendo irse de juerga y meterse en problemas. Como resultado, sus cuerpos podridos eran exhumados, después quemados, marcados con estacas, cortados en pedazos, en ocasiones con una decapitación ceremonial, algo similar a lo que hoy asociamos con vampiros.

No descansan en paz

Para 1800, otro fenómeno comenzó a agitar la imaginación y, como consecuencia, encontró cómo colarse a las páginas de la literatura: la catalepsia, una enfermedad física que produce rigidez muscular y una apariencia similar a la muerte. Hoy, los médicos creen que la catalepsia está relacionada con la esquizofrenia catatónica. Por desgracia, esta condición no se había diagnosticado y no había tratamiento para ella en el siglo XIX, y por eso muchas personas que la padecían, se fueron a la tumba, estando aún vivos. Atormentado por este miedo, Edgar Allan Poe escribió *El entierro prematuro* y *La caída de la casa Usher*. Esta aflicción también encontró refugio en las historias como *El conde de Montecristo*, de Alejandro Dumas; *El paciente interno*, de Arthur Conan Doyle; y *Silas Marner, una historia sobre la soledad y el desarraigo*, de George Elliot.

También circulaban historias reales de catalepsia. A finales de 1800, una mujer de nombre Constance Whitney falleció, o cuando menos eso parecía. Aún en el ataúd, un sacristán intentó quitarle uno de sus anillos. Por accidente, le cortó el dedo con una navaja; en ese momento, ella despertó, dio un fuerte suspiro y siguió viviendo varios años más. Una historia similar surge en el norte de Irlanda, donde unos ladrones exhumaron el cadáver de una mujer millonaria. Mientras intentaban robarle uno de sus anillos, la "muerta" revivió.

Los términos "muerto vivo" y "regresó de la muerte" comenzaron a adquirir un nuevo significado. La línea entre la vida y la muerte estaba borrándose, preparando el escenario para el acto final del viaje de este monstruo.

Vudú

A finales del siglo XIX, una revuelta de esclavos haitianos y un sistema de creencias basado en los espíritus conocido como vudú, trabajaron juntos para crear una atmósfera de peligro y magia negra –los ingredientes perfectos para que floreciera el mito zombi. Este sistema de creencias viajó desde las tribus de África hasta las plantaciones de caña de azúcar del Caribe, adoptando muchas costumbres católicas en el camino. Se arraigó en Haití (entonces conocida como Santo Domingo), una isla donde los esclavos pronto superaron en número a los dueños, en una proporción de 10 a 1. A la larga, el vudú se convirtió en un arma política con "sacerdotes", o *houngan*, alentando a sus seguidores para que se sublevaran contra sus dueños. Durante algún tiempo, los dueños de las plantaciones caribeñas se preocuparon por que sus esclavos pudieran rebelarse, un miedo que se manifestó en Haití en 1791. En esta revuelta, tradiciones vudú de dos islas diferentes, Petro y Rada, unieron fuerzas, y su objetivo eran los *petit blancs* (pequeños blancos) y los dueños de los sembradíos. Las revueltas continuaron hasta 1804, cuando Haití se volvió república independiente.

El miedo jugó un papel muy importante en la revolución que duró 13 años, y como resultado, los mitos sobre zombis comenzaron a circular en todo el Caribe y Francia. Atroces historias se contaban acerca de cómo los *houngan* haitianos usaban la magia negra para resucitar a los muertos, creando así su propio ejército para luchar contra los militares. También se extendieron los rumores sobre canibalismo. Al principio, los rumores

se crearon para causar animosidad hacia los criollos locales y ayudar a sofocar la rebelión.

Curiosamente, esos rumores fueron los dolores de parto que dieron vida al monstruo que ahora pesadamente se pasea en nuestro cine moderno.

El esclavo zombi

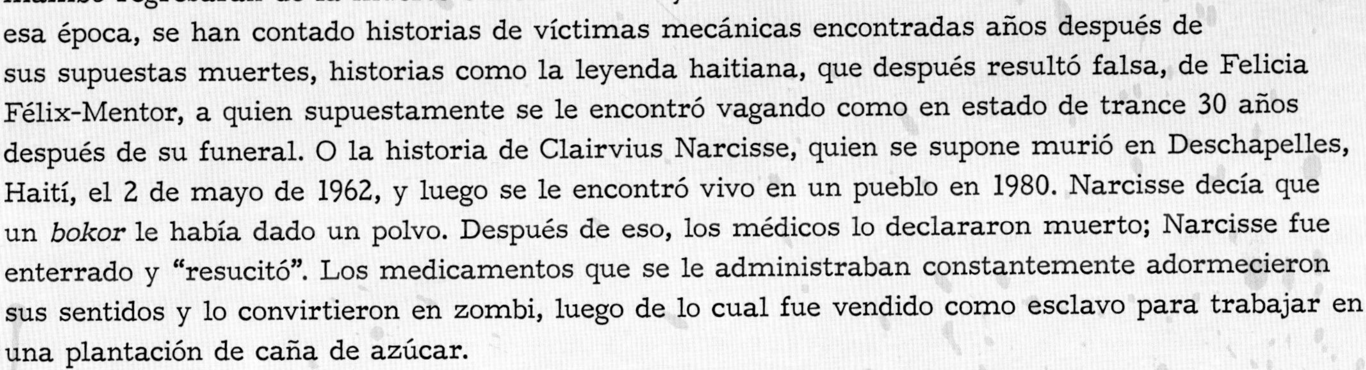

Las leyendas vudús continuaron hasta el siglo XIX, solicitando que un *bokor*, un *houngan* o un *mambo* regresaran de la muerte e hicieran lo suyo. Desde esa época, se han contado historias de víctimas mecánicas encontradas años después de sus supuestas muertes, historias como la leyenda haitiana, que después resultó falsa, de Felicia Félix-Mentor, a quien supuestamente se le encontró vagando como en estado de trance 30 años después de su funeral. O la historia de Clairvius Narcisse, quien se supone murió en Deschapelles, Haití, el 2 de mayo de 1962, y luego se le encontró vivo en un pueblo en 1980. Narcisse decía que un *bokor* le había dado un polvo. Después de eso, los médicos lo declararon muerto; Narcisse fue enterrado y "resucitó". Los medicamentos que se le administraban constantemente adormecieron sus sentidos y lo convirtieron en zombi, luego de lo cual fue vendido como esclavo para trabajar en una plantación de caña de azúcar.

Con la esperanza de descubrir una nueva medicina, el doctor Wade Davis pasó años investigando los diversos polvos zombis que usaban los *bokors*, y después dejó constancia de sus hallazgos en *La serpiente y el arco iris* y *El pasaje de la oscuridad*. Davis llegó a la conclusión de que una droga, o varias combinadas, habían causado el estado de Narcisse. Su teoría, basada en muestras recolectadas cuando estuvo en Haití, señalaba que los *bokors* usaban tetrodotoxina (extraída del pez globo), toxinas de sapos marinos, varias lagartijas y arañas, restos humanos, y a veces hasta vidrio molido para crear el polvo usado en los rituales. A pesar de la investigación de Davis, la droga que se utilizó para convertir a Narcisse en zombi nunca se documentó ni se demostró científicamente.

No obstante, para este entonces, los zombis ya habían alcanzado un nivel de notoriedad, convirtiéndose en el monstruo musa de guionistas y novelistas. En 1929, W.B. Seabrook encabezó a la manada con *La isla mágica*, una vaporosa aventura vudú ambientada en el Haití de finales de siglo. Le siguieron una ráfaga de películas que atraparon la esencia del esclavo zombi vudú: *La legión de los hombres sin alma*, de 1932; *Ouanga*, en 1936; *La rebelión de los zombis*, 1936; *Yo anduve con un zombi*, de 1943. Pero en 1968 el ambiente cambió con la clásica película de culto *La noche de los muertos vivientes*, cuando George Romero presentó nuevos elementos: canibalismo, ciencia ficción y el apocalipsis zombi. Fuertemente influida por *Soy leyenda*, la novela de 1954 de Richard Matheson, la historia de Romero ya no se basó en el vudú o la magia para resucitar a los muertos. De igual forma, hoy en día, el zombi moderno generalmente porta las cicatrices de la ciencia que sale mal, siendo la resurrección causada por algo de la radiación del espacio exterior, un gas tóxico, un virus incurable o una misteriosa señal de teléfono celular. Como el nacimiento de la obra maestra de Mary Shelley, casi puedes oler el crepitar de la electricidad conforme emergen nuevas ideas. La leyenda continúa para cambiar cada vez que se cuenta, pues nuevos libros y películas dan a los zombis muertos vivientes nuevas capacidades, pues ahora son ágiles, inteligentes y quieren igualdad de derechos.

En este punto, el zombi que regresó de los muertos puede trabajarse en casi cualquier historia o retrato. Desde *Orgullo y prejuicio y zombis*, de Jane Austen y Seth Grahame-Smith, hasta *World War Z*, de Max Brooks, la tumba es el límite.

Es hora de empezar a escarbar.

Anatomía de un monstruo

Los zombis clásicos caminan arrastrando los pies, con las extremidades tiesas, movimientos raros, complicados y lentos. El inestable cadáver que busca vengarse quizá tenga su origen en la interpretación que Boris Karloff hizo de otro monstruo en la película de culto favorita de 1932, La momia.

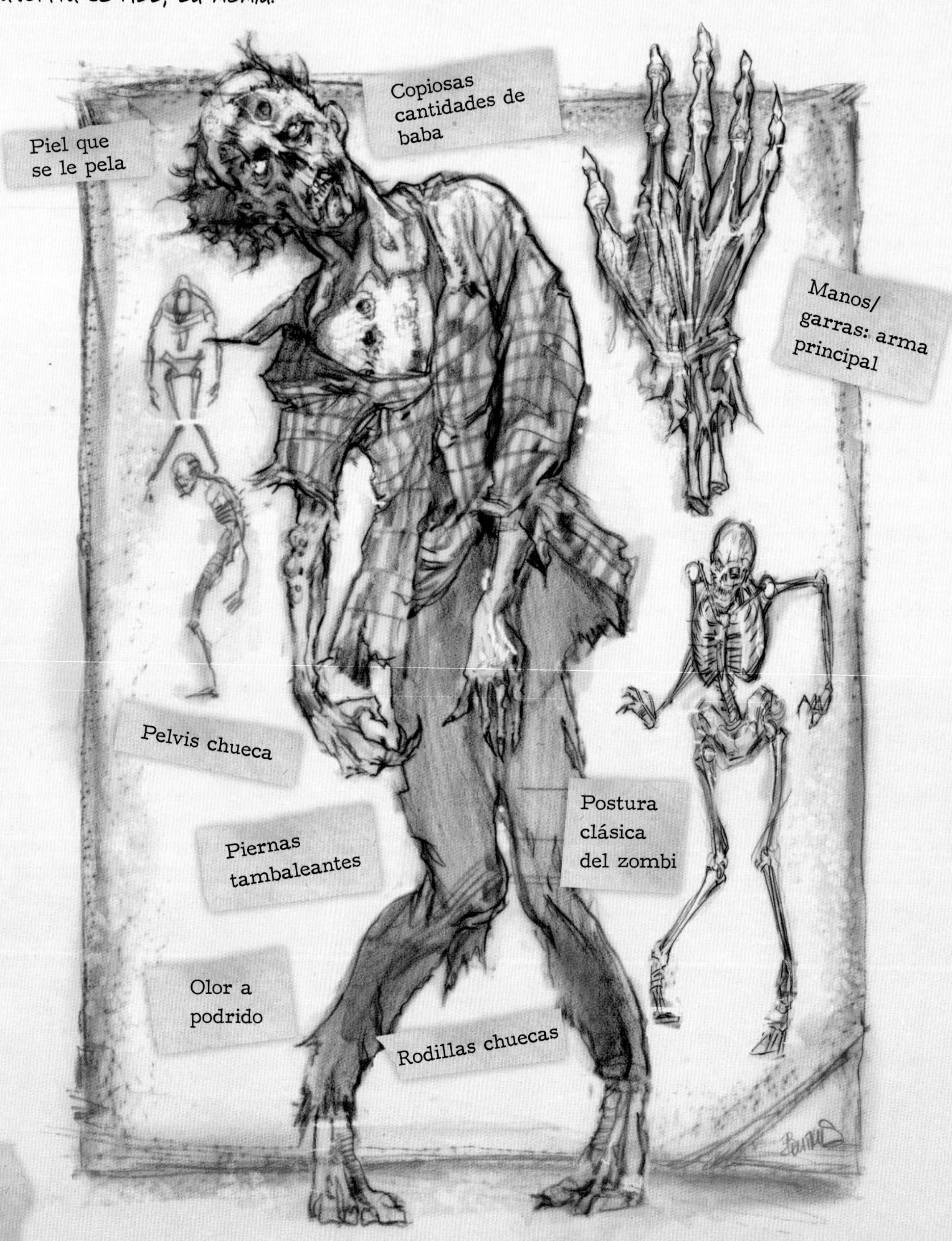

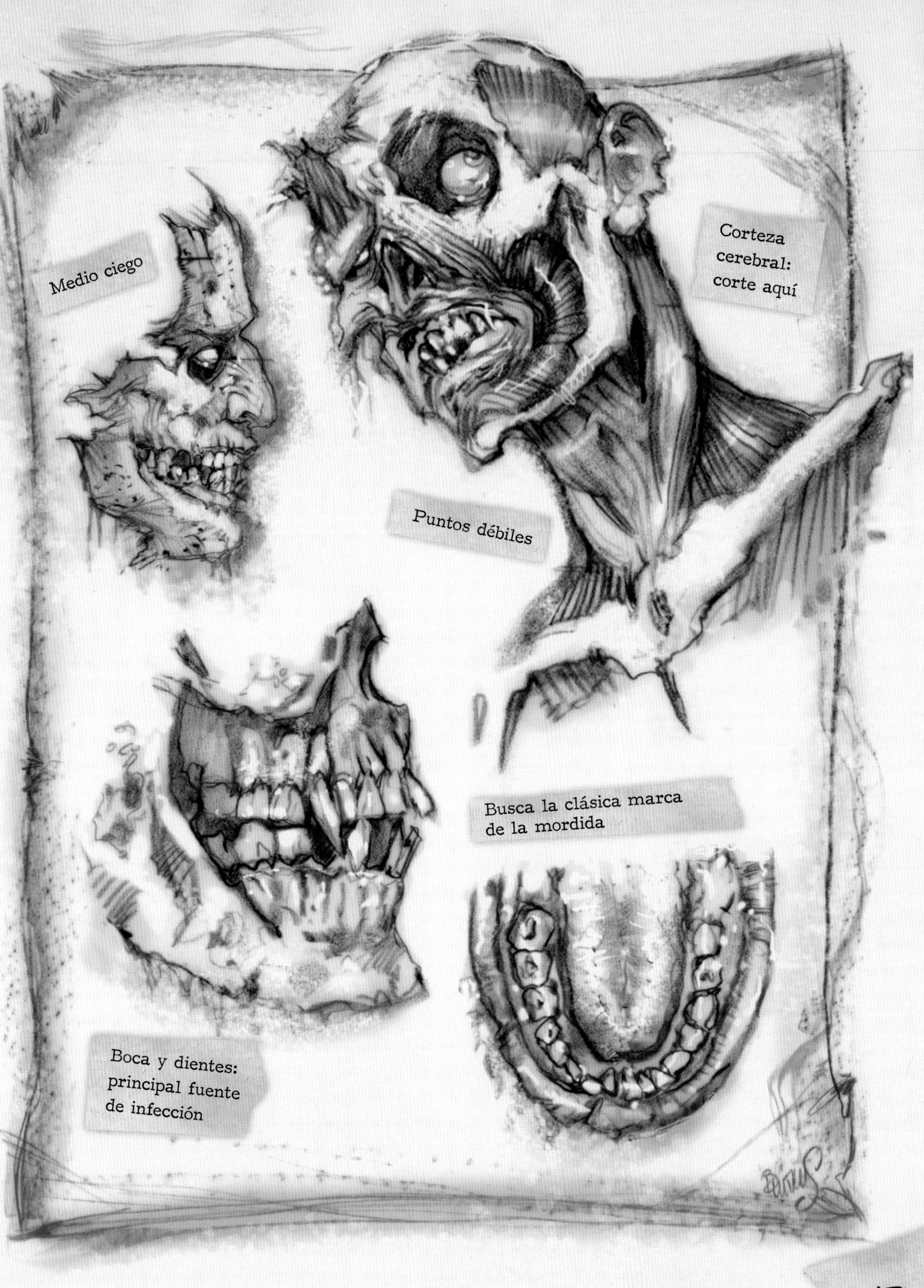
Medio ciego
Corteza cerebral: corte aquí
Puntos débiles
Busca la clásica marca de la mordida
Boca y dientes: principal fuente de infección

Concentrándonos en las facciones

Todos los zombis empiezan siendo humanos, después se transforman rápidamente de encantadores a horripilantes. Para crear a tu monstruo, recuerda que tienes que poner mucha atención en la estructura ósea de tu personaje. Conforme la piel se cae, queda al descubierto toda clase de anatomía esquelética, carne hundida y huesos rotos.

Ojos

Los ojos dicen mucho de una persona, o criatura, así que úsalos como la oportunidad para expresar la verdadera naturaleza de tu personaje. Comienza dibujando un globo, esto te recordará "envolver" tus líneas y tus valores en una figura tridimensional. Para un atractivo ojo humano, el iris permanece centrado en la parte blanca cuando te mira, dejando sólo un pequeño espacio entre ella y el párpado inferior. En el caso del ojo del zombi, sube el iris hasta arriba, de manera que sólo se vea la mitad inferior. Después, agrega más arrugas y líneas de expresión en los párpados inferior y superior, dejando en evidencia que el zombi ha perdido su bello sueño. También, para darle un toque más horripilante, puedes añadir más fluido y mugre que escurra desde el interior del ojo. Para un zombi más malvado, simplemente baja el párpado inferior, haciendo más angosto el canto interno y convirtiéndolo en una delgada rendija.

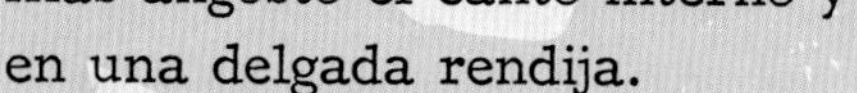

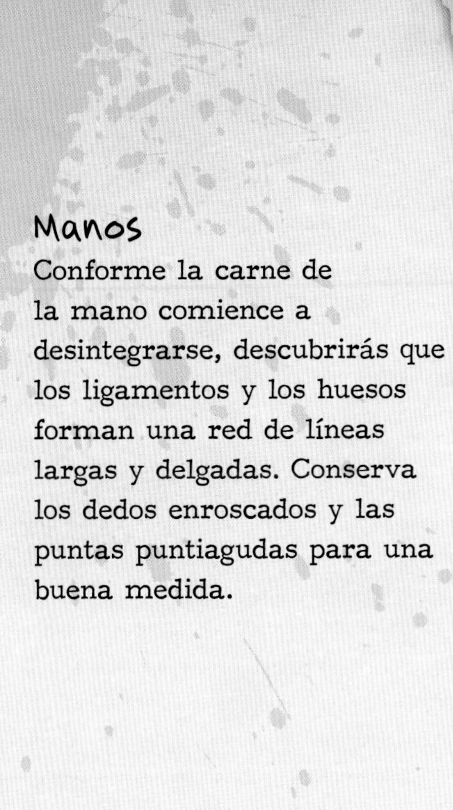

Manos

Conforme la carne de la mano comience a desintegrarse, descubrirás que los ligamentos y los huesos forman una red de líneas largas y delgadas. Conserva los dedos enroscados y las puntas puntiagudas para una buena medida.

Nariz

Cuando dibujes las facciones del zombi, comienza con un dibujo genérico de un rostro humano. Por ejemplo, la base de una nariz normal generalmente es paralela al suelo. En contraste, cuando dibujes al zombi, dale una nariz respingona levantando las fosas nasales y aplastando la punta. Para la boca del zombi, jala los labios hacia atrás para revelar dientes podridos y deformes.

La evolución del zombi

El zombi clásico ya no domina el panorama del monstruo popular. Hoy, nuevas variaciones continúan surgiendo, como uniones en una torcida cadena evolutiva. Piel hecha jirones y huesos expuestos siempre estarán de moda, pero el resto del empaque del zombi está abierto a interpretación.

Mentalidad defensiva
Controlando las oleadas entre mordidas
Tecnología al rescate
Supervivencia del que está en mejor forma y es el más malvado

Tácticas de supervivencia

En cada buena historia de zombis, llega un punto en el que huir del monstruo no es suficiente. Hay que destruir al malo. A menos que le prendas fuego, esta criatura muerta viviente sólo volverá a la cripta si le vuelas, le cortas o le aplastas la cabeza. Eso significa que tu protagonista necesitará un buen arsenal de armas, puñales o hachas si desea vivir.

Aquí vemos algunas de las armas más eficaces que se han utilizado para acabar con el zombi del lugar a lo largo de los años. Como con cualquier dibujo, empieza con las figuras más sencillas que representan al sujeto; por ejemplo, círculos, cilindros y rectángulos. Ten siempre presentes las siguientes tres cosas cuando dibujes armas o aparatos reales:

- Número uno: Conserva líneas claras y bien definidas.
- Número dos: Siempre imagina que las figuras son masas sólidas para que puedas sombrear y agregar los valores conforme a eso.
- Número tres: La perspectiva tiene que ser exacta. Mientras la perspectiva sea correcta, puedes exagerar el escorzo, haciendo más dinámico el dibujo.

Creando el escenario

Los elementos de fondo juegan un papel principal para hacer que la ilustración de tu zombi se vea real. Detalles espeluznantes, como un árbol amenazante o una araña asquerosa, ayudan a que tu mundo imaginario luzca más real. Lápidas y criptas, sitios de descanso que todos los zombis han abandonado, son un recordatorio visual de que estas criaturas salieron de la tumba de manera sobrenatural.

Árbol

A continuación, vamos a hacer un árbol que se vería perfecto en el patio principal de un zombi. Comienza con algunas figuras lineales sencillas para el tronco. Vamos a dibujar una forma muy humana, recuerdos de los árboles de las pesadillas de tu infancia. Una vez que estés satisfecho con el dibujo de las líneas, agrega algunas curvas orgánicas y dobla el árbol, algo similar a lo que harías con una toga larga. Deja las ramas desnudas y conserva las puntas picudas, como garras. Queremos que este árbol tenga una forma similar a la de un zombi sin cabeza.

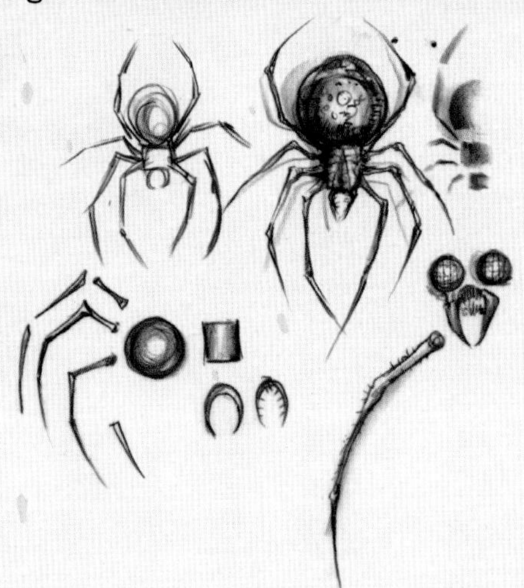

Araña

Increíblemente fácil de dibujar, las arañas agregan un toque enigmático, aunque inquietante a una ilustración. Comienza con formas básicas para hacer una forma reconocible de una araña. Conserva las puntas de las patas filosas para darles un borde peligroso. Por último, agrega más pelo a las patas y al abdomen de estas criaturas aterradoras, y listo.

Lápidas y tumbas

Ahora, nos concentraremos en el lugar de nacimiento del zombi: la tumba. Comienza con bloques de figuras básicas. Si lo deseas, puedes investigar primero cómo son las lápidas antiguas. Cuando estés dibujando, asegúrate de que las líneas sean claras y la perspectiva exacta. Agrega texturas diferentes como grietas y manchones para crear una sensación más descarnada y sucia. También puedes colocar lija debajo del dibujo cuando estés difuminando para darle textura.

Capítulo 2:
Cómo dibujar
zombis

Materiales de dibujo

Dibujar zombis es un poco más sencillo que pintarlos o meterlos a la computadora, así que empecemos por aquí. Básicamente, dibujar consiste en formas indicadoras y valores definitorios (la claridad u oscuridad de un color, o del negro). Como uno se apoya muchísimo en el valor para representar el tema, es importante incluir un rango de valores para tener variedad y contraste. Ten esto siempre presente durante el proceso de dibujo, desde las primeras etapas hasta los últimos detalles.

Lista de materiales

Para hacer los dibujos que se proponen en este libro, necesitarás comprar los materiales que se mencionan a continuación. Fíjate que los materiales exactos para cada tema se enlistan al principio de cada proyecto:

- Papel vegetal multimedia (9" x 12")
- Papel ilustración de doble capa de gesso (8.5" x 11")
- Papel calca (15" x 20")
- Papel ilustración blanco (8.5" x 20")
- Lápiz #2 (HB)
- Goma moldeable
- Sacapuntas
- Lija de 600
- Lápices de colores: blanco, negro, gris al 30%, frío, gris al 30%
- Lápiz de carbón
- Marcador indeleble negro
- Pinturas acrílicas: gris payno y negro Marte
- Pincel #5 (mediano)
- Pincel #00 (muy pequeño)
- Cepillo de dientes viejo
- Fijador en aerosol para trabajar en él
- Aerógrafo (opcional)
- Computadora, pluma digital/tableta gráfica y Photoshop® (todo lo anterior es opcional; consulta la página 101)

Mesa de luz

Será más fácil hacer los proyectos de este libro si tienes acceso a una mesa de luz, como la que aparece en la imagen del lado derecho. Esta superficie iluminada permite crear perfiles claros en los bocetos con tan sólo colocar una hoja de papel sobre el boceto y calcando. Si no cuentas con una mesa de luz, te sugerimos que las primeras líneas de tu boceto sean muy tenues para que puedas borrarlas en una etapa posterior.

Lápices

Por lo general, los lápices de dibujo de grafito son "minas" de grafito incrustadas en madera. La mina viene graduada y casi siempre acompañada por una letra ("H" para "duro" y "B" para "suave") y un número (que va del 2 al 9). Entre más alto es el número que acompaña a la letra, más duro o más suave es el grafito. (Por ejemplo, un lápiz 9B es sumamente suave.) Los lápices duros producen un valor tenue y pueden rayar la superficie del papel, mientras que los lápices más suaves producen valores más oscuros y se corren con facilidad. Por esta razón, elige un lápiz HB (también conocido como #2), que está justo entre el lápiz duro y el suave.

Además de los lápices de grafito, también utilizarás uno de carbón y unos cuantos lápices de colores. El de carbón (hecho con madera quemada) es un recurso oscuro y rico que da a tus dibujos un contraste dramático. ¡Ten cuidado porque se corren con mucha facilidad! Los lápices de color casi no se corren y vienen en una amplia variedad de colores. (Consulta también "Lápices de colores" en la página 65.)

Goma moldeable

La goma moldeable es una herramienta útil que funciona como goma y como instrumento de dibujo. Puede moldearse en cualquier forma, facilitando la eliminación del grafito de la superficie de dibujo. Para borrar, simplemente presiona la goma moldeable sobre el papel y levanta. A diferencia de las gomas moldeables, las de plástico o vinilo pueden dañar las superficies de dibujo delicadas, y no es nada fácil ser exacto.

Pinturas

El proyecto de este capítulo en su mayoría es dibujo, pero también se sugiere la pintura para resaltar áreas por aquí y por allá. El gouache (una acuarela opaca) y las pinturas acrílicas de la lista son solubles en agua, así que vas a necesitar una jarra con agua y algunas toallas de papel cuando las utilices. Puedes usar pinceles de cerdas naturales o sintéticas con el gouache, pero preferirás las cerdas sintéticas cuando uses acrílicos.

Fijador en aerosol para trabajar en él

Cubrir tus dibujos con una capa de fijador en aerosol ayuda a evitar que el dibujo se corra mientras trabajas. Es fácil que corras los trazos por accidente, sobre todo si usas carbón. El fijador en aerosol en el que puede trabajarse te permite que lo rocíes de vez en cuando durante el proceso de dibujo, así evitas accidentes.

Superficies de dibujo

Hay tres tipos de papel para dibujo: suave, texturizado y duro. Elige la textura de acuerdo con la imagen que desees. En general, el papel duro produce trazos rotos, no es recomendable para hacer detalles, pero es ideal para los bocetos. El papel suave permite hacer trazos delicados, controlados. Los proyectos de este capítulo requieren papel vegetal y papel ilustración, que resultan ser superficies adecuadas para dibujos tipo multimedia.

Reina de belleza zombi

Para la chica glamorosa común y corriente, la belleza está en la piel. Pero no así para la zombi, porque para ella llega hasta los huesos. En los concursos de belleza de las zombis, la carne con sangre, llena de nervios y podrida es parte del desfile, así que este proyecto se centra en el contraste entre la belleza terrenal y la desagradable descomposición.

Materiales

- Papel pergamino multimedia (9" x 12")
- Goma moldeable
- Lápiz #2
- Lápiz negro
- Lápiz gris al 30%, frío
- Lija de 600
- Photoshop® (opcional)

▲ **Paso uno** Planea tu retrato con un boceto burdo, definiendo la pose y la distribución general del valor.

Paso dos Una vez que estés satisfecho con el concepto del boceto, comienza un dibujo lineal en papel pergamino. En esta primera etapa, asegúrate de que las facciones estén bien ubicadas. (Puedes transferir este boceto, consulta "Cómo transferir un dibujo", en la página 25.)

Paso tres Cuando el dibujo esté terminado y estés contento con las proporciones, de inmediato comienza con las facciones distorsionadas de la zombi. En este punto, usa el lápiz negro.

CÓMO TRANSFERIR UN DIBUJO

Para empezar los proyectos de este libro, quizá te resulte muy útil trazar los contornos básicos de la obra de arte final (o de uno de los primeros pasos). Transferir los contornos de una imagen a la superficie de tu dibujo o pintura es más fácil de lo que crees. El método más sencillo requiere papel transfer o carbón, el cual puedes adquirir en cualquier tienda de artes y manualidades. El papel transfer es una hoja delgada de papel cubierta de grafito por un lado. (También puedes hacer tu propio papel transfer cubriendo un lado de una hoja con grafito de un lápiz.) Simplemente sigue los pasos que a continuación se presentan.

Paso 1 Saca una fotocopia de la imagen que quieres transferir y amplíala al tamaño de la hoja de dibujo o del lienzo. Luego, el papel carbón con la parte del carbón hacia abajo sobre la hoja o el lienzo. Después coloca la fotocopia en el papel transfer o carbón y fíjala con cinta adhesiva.

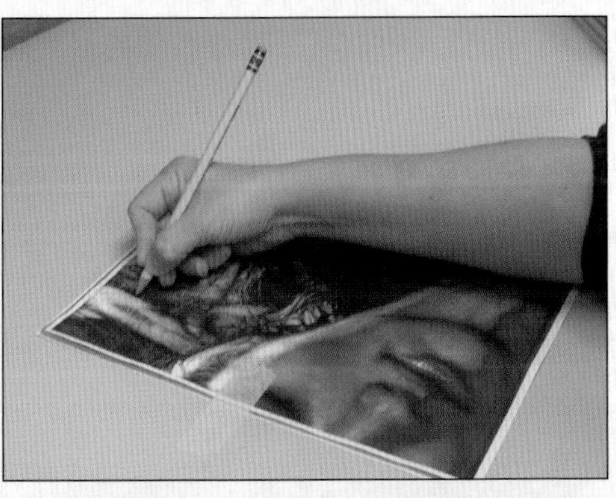

Paso 2 Traza suavemente las líneas que quieres transferir a la superficie de tu dibujo o pintura. Cuando transfieras una guía para un proyecto de dibujo, usa la menor cantidad de líneas posible y sólo indica la posición de cada elemento. No querrás borrar muchas cosas cuando quites el papel transfer o carbón.

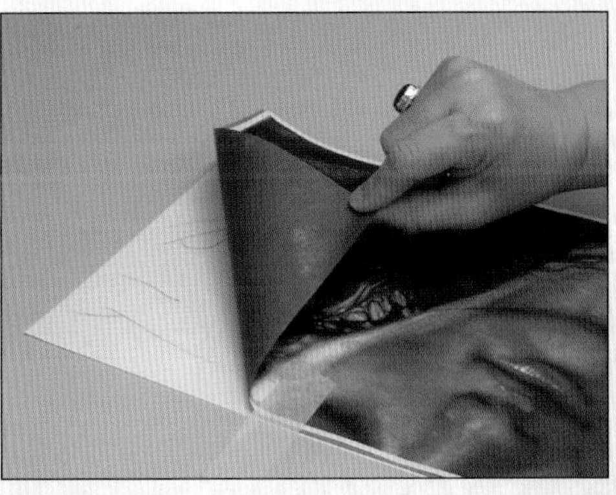

Paso 3 Durante los trazos, levanta de vez en cuando la esquina de la fotocopia para comprobar que las líneas estén transfiriéndose correctamente. Continúa trazando sobre la fotocopia hasta que hayas transferido todas las líneas.

▶ **Paso cuatro** Es sumamente importante que mantengas tus lápices con la punta afilada, sobre todo cuando se trata de dibujos de este tamaño y cuando se usa papel vitela. Lo mejor es utilizar un sacapuntas eléctrico que produce puntas muy afiladas (de preferencia una punta de 16°). Después, usa una lija de 600 para afilar más el lápiz. Con esto también se crea un borde cincelado, lo que facilita la variación del ancho de la línea cuando dibujas.

◀ **Paso cinco** A continuación, comienza a agregar tono y detalles a la estructura del zombi del lado de la cara de la zorra, asegurándote de que luzca creíble.

Paso seis En este punto, establece los valores para la siguiente etapa del dibujo. Es increíblemente importante que te fijes en la calidad de la línea y el diseño de la figura conforme avances en los pasos de la ilustración.

Paso siete Una vez que se hayan hecho algunos de los retorcidos rasgos faciales de la zombi, pasa a las facciones humanas. Despacio, establece los valores del tono de la piel usando un lápiz gris al 30%, frío. Repito, recuerda conservarlo con buena punta. Utiliza una goma de lápiz para marcar los toques de luz que acentuarán la estructura facial.

Paso ocho Cuando termines los rasgos más suaves de tu sensual zorra zombi, concéntrate en crear una sensación de profundidad dejando al descubierto diferentes texturas de la anatomía humana como huesos, carne y masa encefálica. Después, inicia el proceso de integración de estas texturas en las figuras increíblemente espantosas, pero bien diseñadas.

BUENA BIBLIOGRAFÍA DE ZOMBIS

No querrás quedarte sin participar la próxima vez que tus amigos hablen de zombis. La siguiente lista puede ayudarte a actualizar la tradición zombi y a enseñarte a sobrevivir si el increíble apocalipsis zombi se desata antes de lo esperado.

Libros:

"La isla mágica", de W.B. Seabrook, 1929
"El alzamiento", "La ciudad de los muertos", de Brian Keene
"Cell, 2006", de Stephen King
"World War Z: 2007", de Max Brooks
"Zombi, guía de supervivencia", de Max Brooks
"Orgullo y prejuicio y zombis", de Jane Austen y Seth Grahame-Smith
"Monster Island", "Monster nation", "Monster Planet", de David Wellington
"The Restless Dead", de Hugh B. Cave

Comics/Novelas gráficas:

Dark House Comics ZombieWorld: "Champion of the Worms", de Mike Mignola y Pat McEown
"Dawn of the Dead", adaptación de Steve Niles y Chee
Miniserie de Marvel Comics: "Marvel Zombies"
Arrow Comics: "Deadworld"
Image Comics: "The Walking Dead"

Paso nueve En este punto, completamos el dibujo. Sin embargo, quizá quieras seguir los siguientes cuatro pasos para darle a tu obra un poco de realce digital. Comienza esta etapa escaneando el dibujo y envíalo a un programa de edición de imágenes, como Photoshop®.

Paso diez Este es mi estudio. A la izquierda, tengo mi material de referencia y las primeras etapas del dibujo. Bajo la pantalla del centro, y consulto el original mientras trabajo.

▼ **Paso once** A continuación, usando la herramienta de niveles (consulta la página 101), oscurece toda la ilustración en 20%. Esto te da de inmediato el valor medio que necesitamos sin invertir mucho tiempo oscureciendo el dibujo original. Luego usa la herramienta de la goma con un borde suave (página 101) para marcar los toques de luz.

Nota: Agregué manchas de piel podrida en el hombro y el pecho. Lo mejor de añadir los detalles digitalmente es que puedes experimentar; los cambios no son permanentes, ¡siempre y cuando no los hayas salvado en la imagen original escaneada!

Paso doce Usa la herramienta de la goma para marcar hilos de carne en el lado de zombi de la cara. También puedes usar la herramienta de la goma para darle energía y textura al cabello y a la piel, lo que le brindará una imagen desenfrenada a nuestra belleza zombi.

Paso trece Después, utiliza la herramienta suprimir (página 101). Selecciona toque de luz como rango y marca los toques de luz en los ojos, la piel y los labios para que parezcan mojados. Ajusta el diámetro y la exposición de tu herramienta según sea necesario.

▶ **Paso catorce** Otra vez con la herramienta suprimir, elimina el fondo -sólo que esta vez utiliza un diámetro mucho más grande. Esto acercará a la zombi hacia delante y dará un contraste más emocionante. Una vez hecho todo esto, usa la herramienta desdibujar para suavizar los bordes y crear una calidad casi fotográfica. En esta ilustración, el 90% del dibujo se hizo de manera tradicional, mientras que sólo invertimos diez minutos en la computadora.

LEY ZOMBI

Ya sea parte de una leyenda en ciernes o un hecho histórico real, la posibilidad de una ley haitiana en contra de la creación de zombis sin duda le añade leña al fuego del folclor. Supuestamente vigente en 1835, el Código Penal haitiano, artículo 249, se convirtió en el libro: *White : Anatomy of a Horror Film*, de Gary Don Rhodes. Abajo una cita:

"Código Penal haitiano, artículo 249. También será considerado intento de homicidio el uso que pueda hacerse, en contra de cualquier persona, de sustancias que, sin causar la muerte real, produzcan un coma letárgico más o menos prolongado. Después de que la persona haya sido enterrada, el acto se considerará como homicidio, sin importar cuál sea el resultado posterior".

Zombi en la tumba

Puedes lograr mucho con un poco de ayuda de tus amigos. Aquí vemos a un zombi escapando de la tumba, protegido por una multitud de sus amigos muertos vivientes. El objetivo de la ilustración en blanco y negro será cómo crear una composición dinámica.

Materiales
- Papel ilustración de doble capa de gesso (8.5" x 11")
- Marcador indeleble negro
- Gouache negro
- Gouache blanco permanente
- Lápices de colores: blanco, negro y gris al 30%
- Pincel #5
- Pincel #00
- Pincel #2
- Cepillo de dientes viejo

Paso uno Este es el boceto de nuestra siguiente ilustración, en la que nos concentraremos en hacer una composición dinámica.

Paso dos Este proyecto se hace con una técnica divertida y rápida. En papel ilustración con gesso, empieza a dibujar con un lápiz #2 tomando como base la composición del boceto. (Puedes transferir este boceto, consulta "Cómo transferir un dibujo", en la página 25.)

Paso tres Con la línea de dibujo en su lugar, usa el marcador negro para repasar el dibujo, asegurándote de que las líneas y las figuras sean emocionantes y estén llenas de energía.

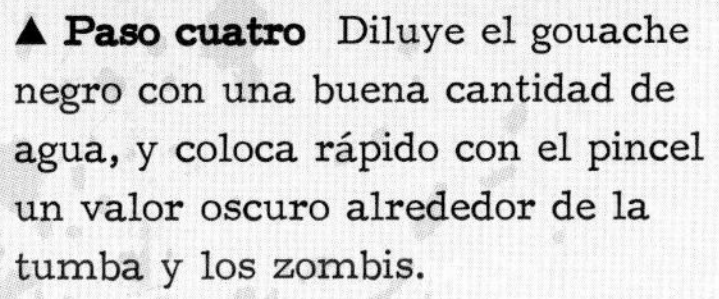

▲ **Paso cuatro** Diluye el gouache negro con una buena cantidad de agua, y coloca rápido con el pincel un valor oscuro alrededor de la tumba y los zombis.

▶ **Paso cinco** Cuando termines con el gouache, saca la ilustración al exterior y rocíala con el fijador. Cuando esté seca (10 minutos aproximadamente), sumerge un viejo cepillo de dientes en el gouache negro y salpica la pintura por todo el dibujo, creando nuevas texturas de inmediato. Y vuelve a rociarlo con un poco de fijador.

▲ **Paso seis** Con mi lápiz gris al 30%, empecé a resaltar los dientes, la cara y las hebras del cabello. Asegúrate de enfatizar el estiramiento de la tensa piel muerta usando líneas más delgadas en las figuras más oscuras. También empieza a trabajar el cielo mezclando un poco de gouache blanco con agua y pintura alrededor de las siluetas de los zombis que están lejos.

▶ **Paso siete** Toma el pincel #5 y sumérgelo ligeramente en la mezcla blanca, y pinta algunas formas suaves, borrosas en el cabello, haciendo énfasis en la textura seca y crespa.

Paso ocho Cambia al pincel muy pequeño (tamaño #00) y empieza a añadir toques de luz en el lado izquierdo de la cara. Después pinta un borde claro a lo largo de la orilla del cabello y hombros para sugerir que la fuente de luz viene del cielo, y para separar al personaje principal del fondo.

Paso nueve Ahora es tiempo de trabajar en los zombis que están como espectadores. Usando todavía el pincel delgado, rápido inserta las figuras grandes de las caras esqueléticas, e indica la fuente de luz pintando un borde claro alrededor del cuerpo del zombi que está de pie.

Nota: Verás que el proyecto difiere del boceto; los zombis que están afuera cambiaron. Constantemente juego y experimento con los personajes y la composición a lo largo del proceso. Recuerda, es producto de la imaginación. No temas explorar para conseguir una composición más exitosa.

Paso diez En este paso final, tómate el tiempo para afinar la personalidad del personaje. Estudia la ilustración y analiza qué otras medidas puedes explorar para resaltar la sensación general de que es espeluznante. Con el lápiz blanco, concéntrate en las diferentes partes de la cara para crear todo el drama posible jalando y estirando los rasgos faciales. Para el cielo, usa más gouache blanco para crear un impacto dramático y gráfico para el resto de la ilustración.

Adolescente asesina de vampiros

Buffy, la caza vampiros, se queda corta junto a esta adolescente de preparatoria, que está lista para acabar con una sola mano a una horda de zombis. Esta es una heroína digna de tener su propia novela gráfica, y su inocencia hace un agradable contraste con los monstruos con los que pelea.

Material
- Lápiz negro
- Lápiz gris al 30%, frío
- Papel vitela multimedia (9" x 12")
- Papel calca (15" x 20")

▲ **Paso uno** Comenzamos este proyecto haciendo el boceto en papel calca.

▶ **Paso dos** Una vez que te agrade el concepto, transfiere la imagen al papel vitela. (Consulta "Cómo transferir un dibujo", en la página 25.) Después, crea un boceto lineal con un lápiz negro. Cuando termines, agrega los valores oscuros a las cabezas de los zombis que están dentro del casillero, aplicando trazos suaves y consistentes. Para darle mayor profundidad, empieza por agregar acentos más oscuros. Por ejemplo, concéntrate en las cuencas de los ojos, la parte interna de la boca y el rabillo de los ojos. Nota: Siempre ten el lápiz con punta afilada cuando dibujes sobre papel vitela. Puedes colocar otras 20 hojas de papel vitela debajo de tu ilustración para que el lápiz rebote ligeramente y el dibujo tenga una textura "cremosa".

Paso tres Una vez que los tres valores principales estén establecidos, comienza a trabajar con la asesina adolescente de zombis. Dibuja una línea fuerte alrededor de la ilustración para darle a esta ilustración la sensación de que es un comic. Como se supone que es joven y bonita, entre menos le pongas, mejor se verá. Concéntrate en diseñar líneas y figuras atractivas. Conserva valores claros con excepción de algunos acentos en los ojos y las comisuras de la boca.

Paso cuatro En este paso, continúa con la línea fuerte en el resto del cuerpo, variando la calidad de la línea de gruesa a delgada para sugerir la forma. La línea es tan importante como el valor y la figura para sostener la energía de cualquier dibujo.

CÓMO SABER SI TU MEJOR AMIGA ES UNA ZOMBI

1. Camina arrastrando los pies.
2. No llora cuando su novio termina con ella.
3. El cabello se le cae a puños y su aliento huele peor que nunca.
4. Tiene hambre todo el tiempo, pero nunca quiere pizza, aunque tú invites.
5. Se ofrece a enterrar a tu gato muerto, solo que tu gato no está muerto.
6. Empieza a decir cosas como: "Aaaaarrrrrrrrggggg" y "Uuummmmppppphh".
7. No recuerda las respuestas de Álgebra. Ni siquiera recuerda qué es Álgebra.
8. Se le caen los dedos cuando escribe notas.
9. Empieza a salir con un grupo diferente de amigos. Todos se te quedan mirando y babean cuando pasas junto a ellos.
10. Llega a tu casa a media noche e intenta comerse a tu hermanito.

Paso cinco Ahora es momento de agregar las líneas y las formas para crear los pliegues de la ropa y su libro de texto. Cuando esté terminada, toma el lápiz gris y agrega un valor muy claro en su piel. Para que el ambiente se vea más gore, utiliza un lápiz negro para indicar que la sangre escurre por las puertas del casillero, asegurándote de seguir las curvaturas del metal. Nota: Aunque es una escenaza gore, no dejes que se vuelva sensiblera. Intenta conservar las sombras limpias y constantes.

Paso seis En esta última etapa, revisa el dibujo y afina los detalles que se hayan pasado. Si la analizas detenidamente, te darás cuenta de que esta ilustración es lineal en su mayoría y tiene muy pocos valores. Debido a esto, la colocación de los acentos oscuros y la línea de apoyo son muy importantes; de lo contrario, parecerá que el dibujo no está terminado.

25
¡LOS ZOMBIS SON ASQUEROSOS!
ZOMBIS
¡DI NO AL AMOR ZOMBI!
CÓMO MATAR ZOMBIS 101
6

Zombi en tabla de nieve

A todos los adolescentes les encantan los deportes extremos, y el zombi adolescente no es la excepción. El objetivo de esta ilustración es transmitir energía, lenguaje corporal y composición dinámica.

Materiales
- Lápiz negro
- Goma moldeable
- Lápiz #2
- Papel vitela multimedia
- Computadora y Photoshop®
  (opcional)

▶ **Paso uno** Comenzamos este proyecto con un burdo dibujo linear de un zombi que patina en la nieve.

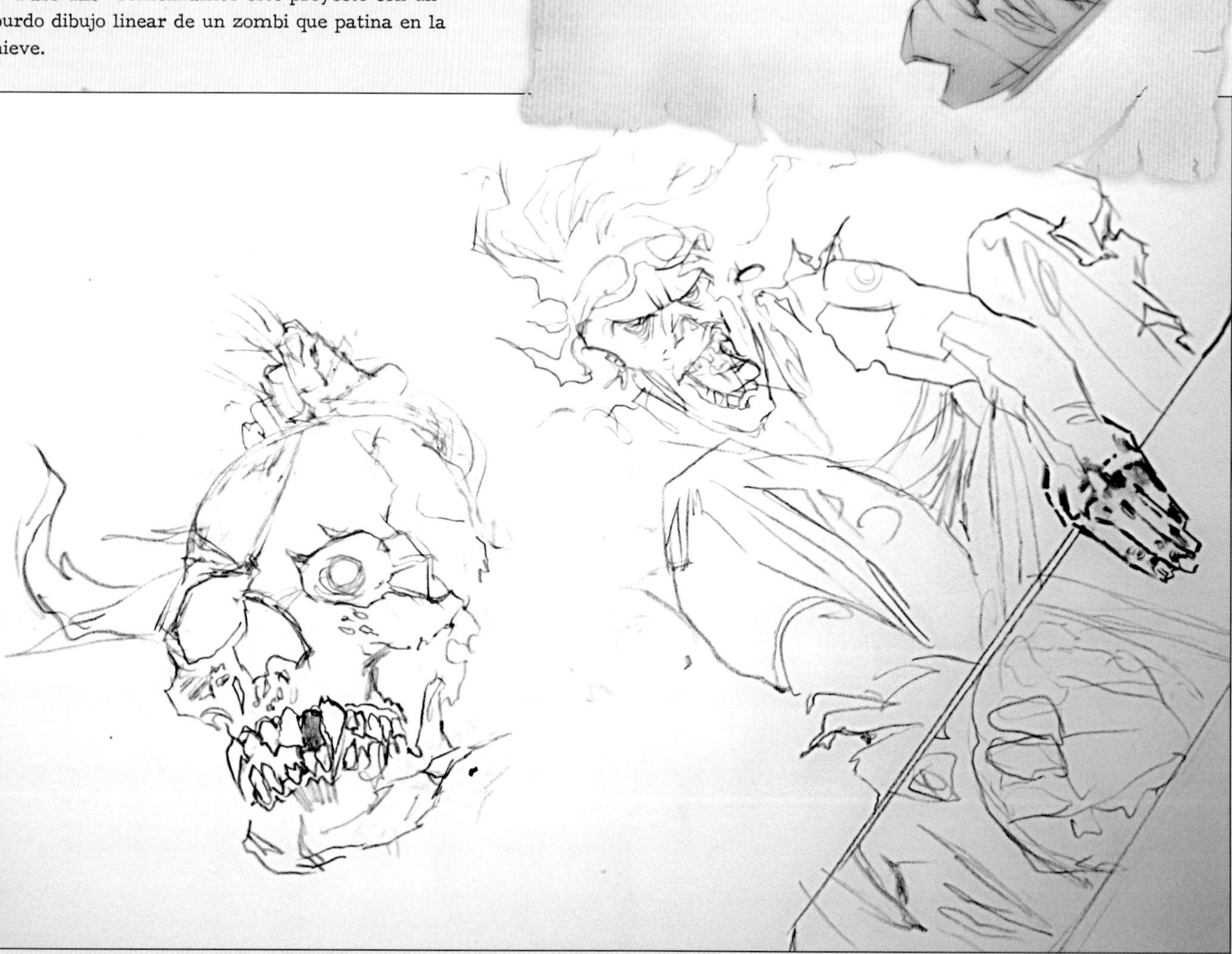

Paso dos Con un lápiz #2 con buena punta, haz el boceto del dibujo final en papel vitela. Fíjate que el boceto original cambió, ahora el cráneo está mirando hacia lo lejos, y no al espectador como el zombi. (Puedes transferir este boceto, consulta "Cómo transferir un dibujo", en la página 25.)

▶ **Paso tres** Comienza trabajando con el cráneo. Marca todas las áreas de sombras y asegúrate de que las figuras sean claras y estén bien diseñadas. Exagerando el tamaño y las formas del cráneo enfatizarás su expresión malévola. También añade muescas y rayones para indicar que ha pasado momentos difíciles. Después, haz que el pelo parezca como volutas de humo para dar sensación de movimiento. Luego, comienza a marcar las zonas oscuras en la cara del asesino zombi que vuela por el aire. A continuación, empieza a sombrear todas las figuras grandes de la ropa. Aunque este proceso es rápido, asegúrate de que los trazos sean suaves, constantes y limpios. No querrás que esta zona distraiga al espectador. Una vez que hayas establecido el valor medio, empieza a marcar las partes oscuras de los pliegues y las arrugas. Fíjate que las figuras sean fuertes y estilizadas. Puedes consultar revistas o fotografías de un modelo para asegurarte de que los pliegues de la tela se vean reales.

Paso cuatro En esta etapa el dibujo empieza a ponerse verdaderamente emocionante. En este punto, la personalidad emerge, casi como si el personaje saltara hacia ti. El hecho de que la imagen rompa los marcos le da al dibujo una energía dinámica. Recuerda que no tienes que encerrarte en cuatro esquinas, mejor aprovéchalas. Agrega algunos tatuajes al brazo del zombi para demostrar que su estilo personal estaba antes de convertirse en un muerto viviente. También haz énfasis en la posición de cuclillas del zombi haciendo su cuerpo hacia atrás con un valor más oscuro. Ahora, pasa a los diseños complicados de la tabla de nieve. Que el diseño de la tabla se vea complicado no quiere decir que te llevarás mucho tiempo en ellos. Mientras conserves la calidad de la línea limpia y variada, y las figuras fuertes y atractivas, parecerá que le dedicaste más tiempo del que en realidad le diste.

Paso cinco Este es un ejemplo de cómo romper el marco, como se comentó en el paso cuatro. Agrega elementos externos como nieve que sale volando y asegúrate de que se escurra por los bordes. Que la nieve esté dentro y fuera de la composición ayuda a crear la sensación de acción.

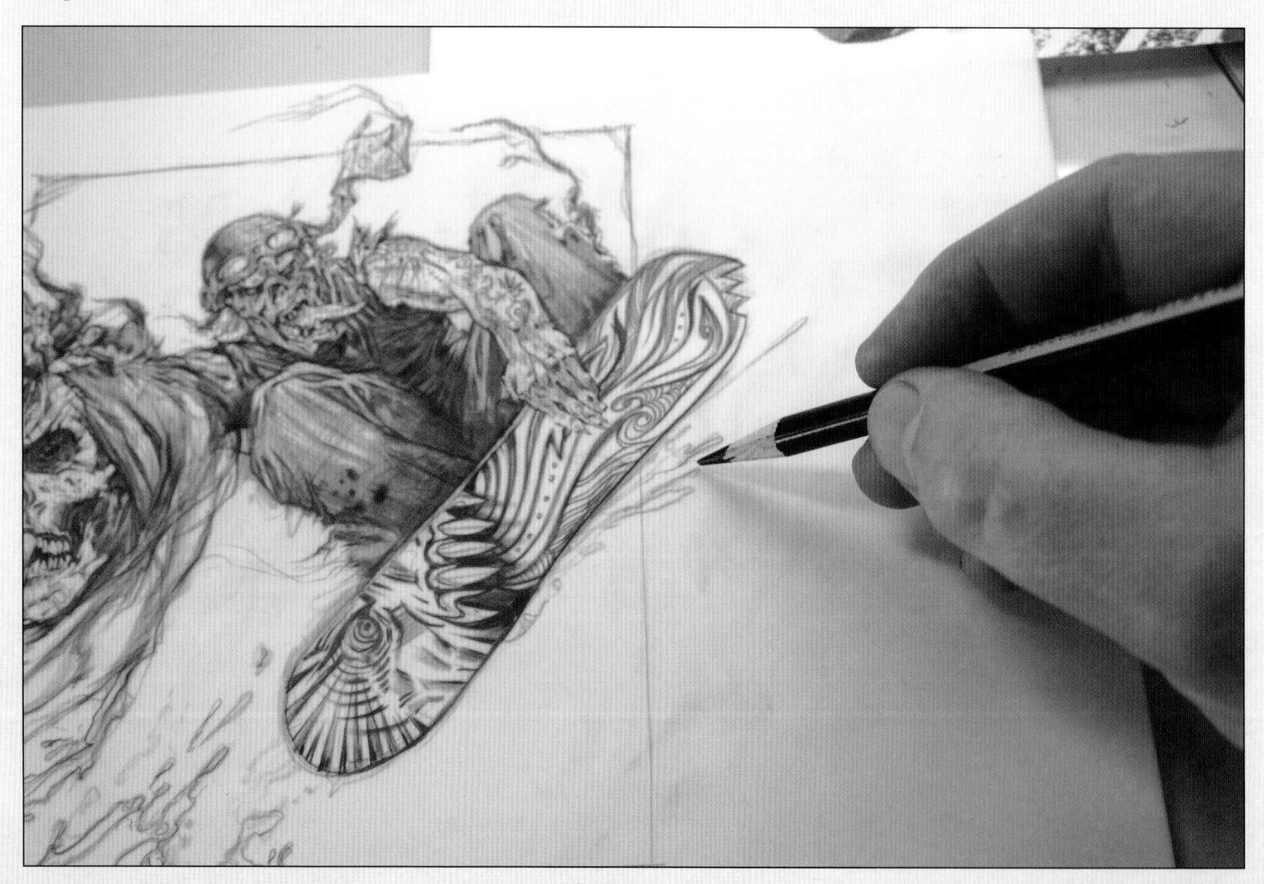

Paso seis Continúa creando valores en todo el dibujo y agregando algunos ramilletes de nieve aquí y allá. Con el dibujo terminado, los siguientes pasos son opcionales y hay que trabajarlos en la computadora. Para esa parte del proceso, primero lo escaneamos en Photoshop®, luego le damos unos toques de luz y hacemos un poco de aclarado. Esta tarea tarda solo diez minutos.

Paso siete Agranda el dibujo para que encuentres las áreas que necesitan atención.

Paso ocho Tengo una pantalla sobre la que puedes dibujar, y una vez que el dibujo aparece allí, uso el lápiz óptico y selecciono la herramienta aerógrafo de la barra de herramientas de Photoshop®. De la paleta, elijo un gris claro-medio, y empiezo a suavizar los bordes y a intensificar algunas de las áreas oscuras.

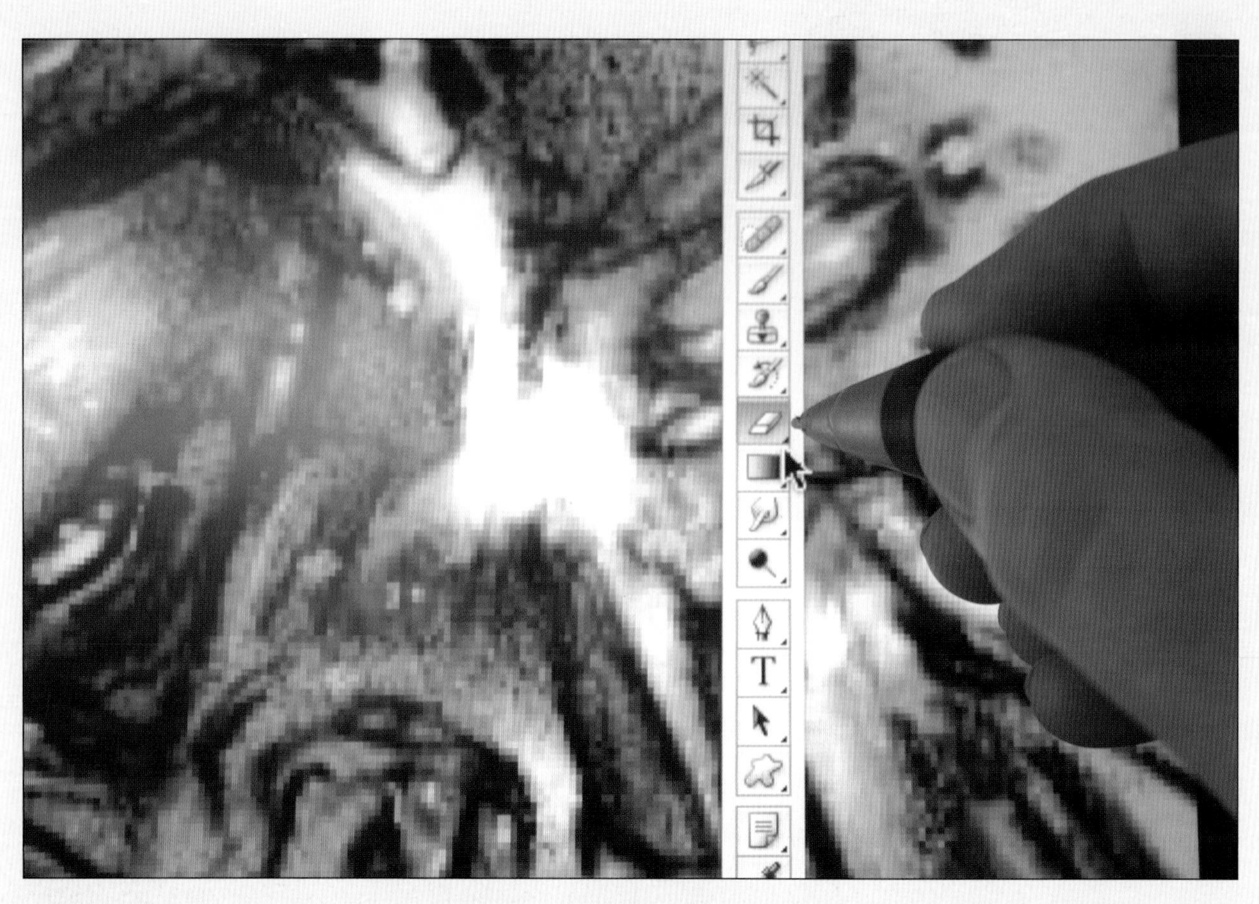

Paso nueve La barra de goma es sumamente útil para resaltar los toques de luz, suavizar los bordes y quitar las líneas superfluas. Puedes ajustar el ancho, la opacidad y la suavidad de la goma.

Paso diez En este paso, puedes ver todos los detalles que pueden agregársele a un dibujo relativamente pequeño (6" x 10") en muy poco tiempo usando Photoshop®.

Zombi en la tumba con niebla

Es prácticamente imposible mantener a un hombre quieto, sobre todo cuando es un zombi. Aquí vemos al monstruo en estado de descomposición volviendo de la tumba. Los efectos especiales, creados con un aerógrafo y Photoshop®, le dan el toque justo de luz y niebla sobrenaturales.

Materiales
- Pintura acrílica: blanco titanio, gris payno, negro Marte
- Un pincel chico para acrílico
- Papel ilustración blanco (8.5" x 11")
- Lápiz negro
- Lápiz blanco
- Lápiz carbón negro
- Goma moldeable
- Fijador en aerosol para trabajar en él
- Aerógrafo (opcional)
- Computadora y Photoshop® (opcional)

▲ **Paso uno** Empieza con un boceto que atrape al espectador. Haz que parezca como si el zombi está saliendo de la tumba y de la página hacia el espectador.

Paso dos En un pedazo de papel ilustración, comienza otro dibujo con un lápiz de carbón negro. (Puedes transferir este boceto, consulta "Cómo transferir un dibujo", en la página 25.)

Paso tres Para lograr el efecto de una tumba escalofriante y con niebla, difumina el carbón con los dedos, dejando intacto el valor claro del dibujo.

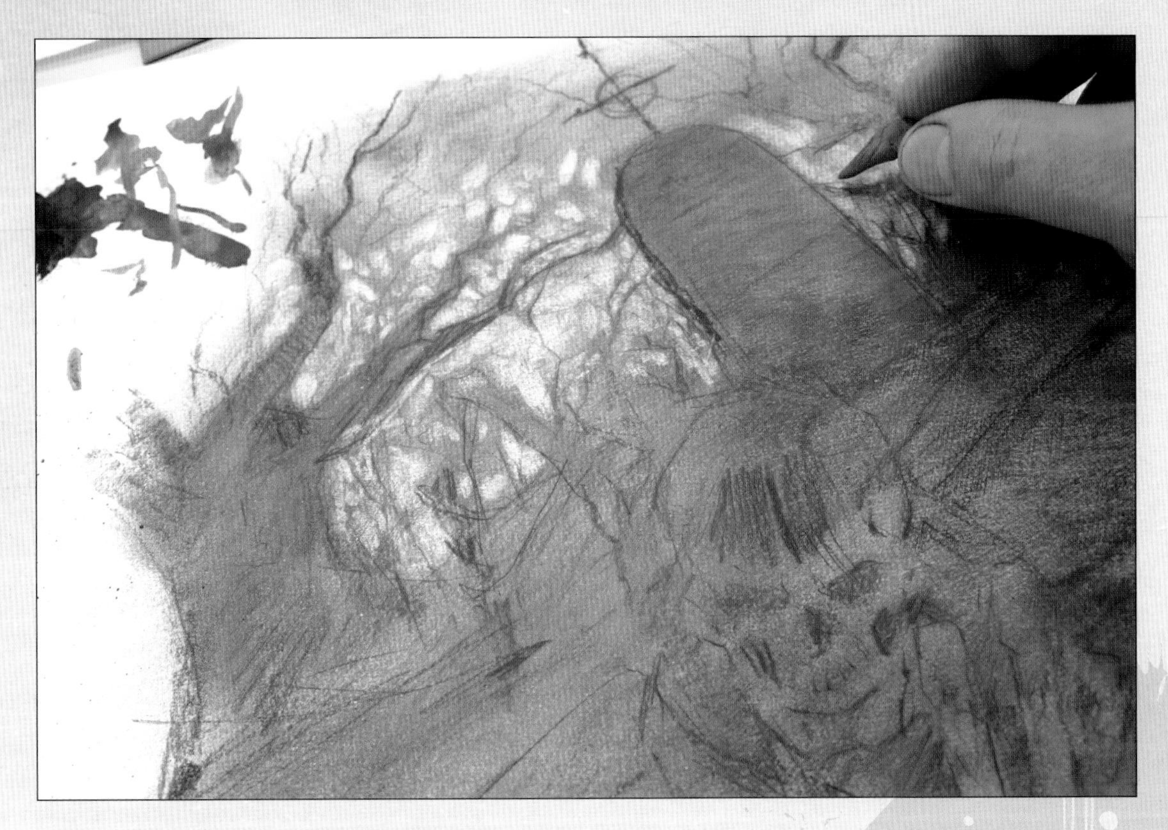

▲ **Paso cuatro** Después de difuminar el fondo, comienza a dar los toques de luz con la goma moldeable.

◀ **Paso cinco** A continuación, saca el dibujo al exterior y rocíalo con una ligera capa de fijador para sellarlo. Una vez completamente seco, comienza a dibujar otra vez en la ilustración con el lápiz negro. Este proceso realza la calidad de la línea.

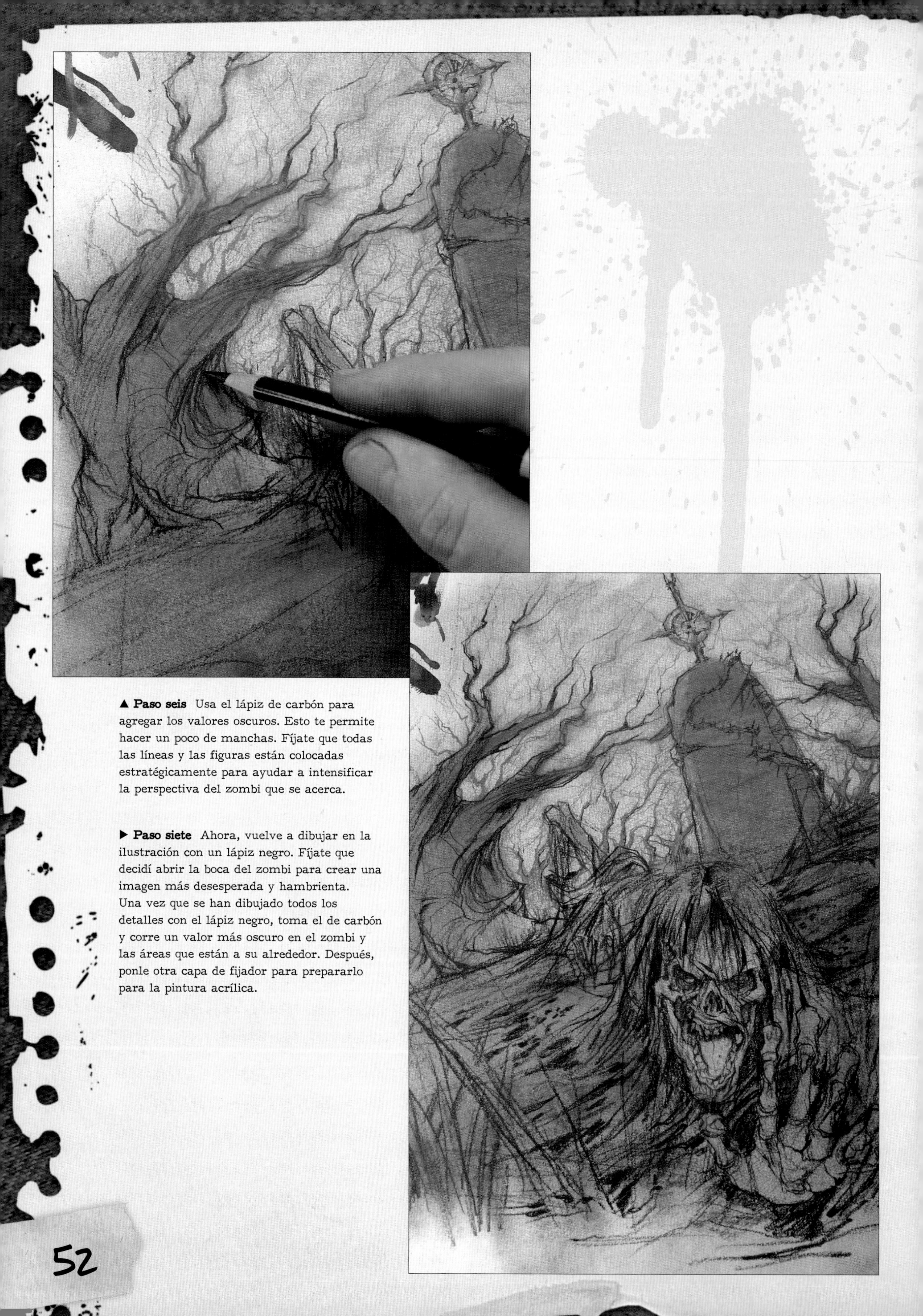

▲ **Paso seis** Usa el lápiz de carbón para agregar los valores oscuros. Esto te permite hacer un poco de manchas. Fíjate que todas las líneas y las figuras están colocadas estratégicamente para ayudar a intensificar la perspectiva del zombi que se acerca.

▶ **Paso siete** Ahora, vuelve a dibujar en la ilustración con un lápiz negro. Fíjate que decidí abrir la boca del zombi para crear una imagen más desesperada y hambrienta. Una vez que se han dibujado todos los detalles con el lápiz negro, toma el de carbón y corre un valor más oscuro en el zombi y las áreas que están a su alrededor. Después, ponle otra capa de fijador para prepararlo para la pintura acrílica.

Paso ocho Sólo con el lápiz blanco, resalta el horizonte y marca en el zombi un borde claro para separarlo del fondo.

◀ **Paso nueve** Para crear la niebla, saca el aerógrafo y llénalo con un poco de pintura acrílica blanco titanio mezclada con agua. Con excepción de la cara del zombi, rocía ligeramente toda la ilustración. Después, con un pincel chico, aplica un poco de gris payno y un poco de blanco titanio para los valores de transición entre la niebla y el zombi. Nota: El aerógrafo es la mejor herramienta para crear un efecto de niebla. Sin embargo, puedes usar aguadas muy delgadas de pintura blanca para emparejar las orillas burdas con agua.

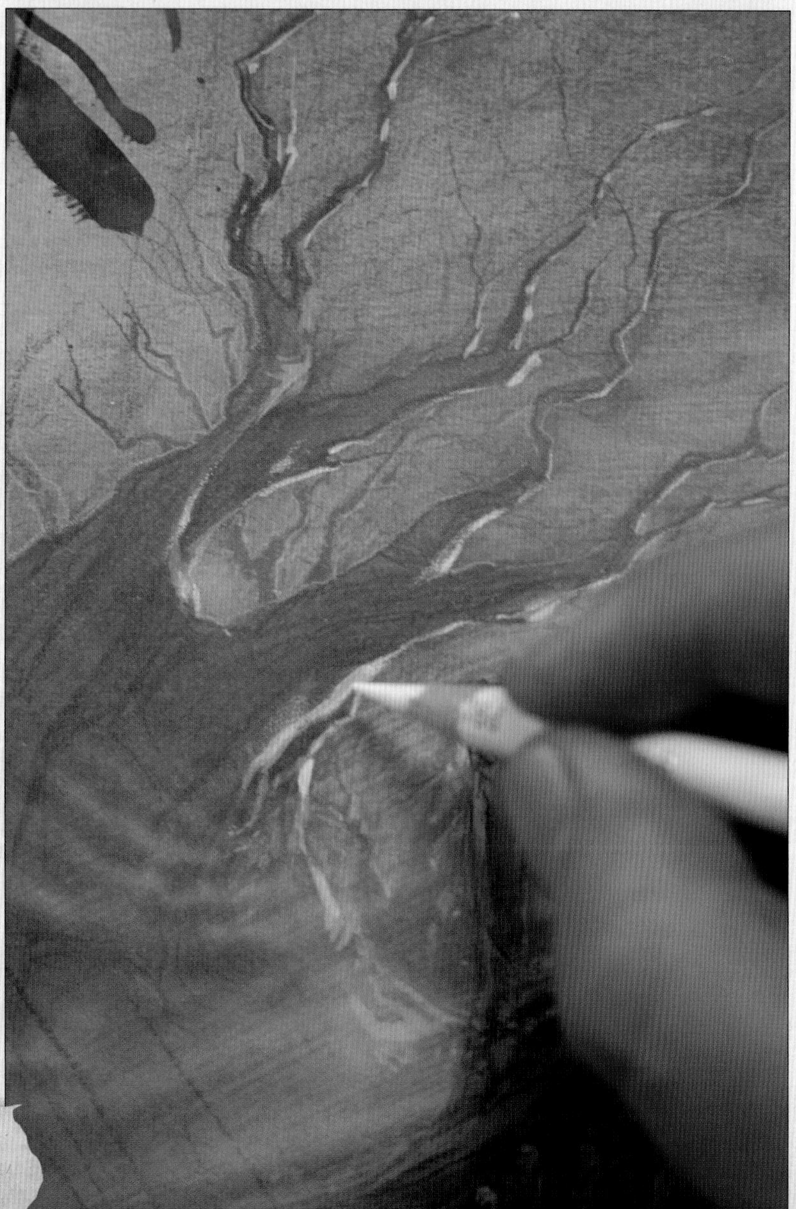

◀ **Paso diez** Cuando termines con el aerógrafo, toma el lápiz blanco y redefine el borde de luz y los reflejos.

▶ **Paso once** Para que el zombi que se arrastra sobresalga un poco más de la atmósfera, mezcla negro Marte con mucha agua y luego píntalo apenas con una capa ligera de aguada. Luego escanea la ilustración en Photoshop®. Con la herramienta suprimir (consulta la página 110), intensifica rápidamente los toques de luz y ajusta los niveles para crear un poco más de contraste.

Zombi en el cajero automático

Este proyecto es una ilustración en blanco y negro que puede entrar en muchos géneros: caricatura, comic, novela gráfica o comentario editorial. En una tarde de compras, esta pareja de zombis suburbanos aparece intentando retirar dinero del cajero automático.

Materiales
- Papel calca
- Papel vitela
- Goma moldeable
- Lápiz negro

▲ **Paso uno** El proceso comienza con un boceto. Fíjate que el diseño por lo general cambia de un paso a otro. Todo es parte de la evolución natural de la ilustración.

Paso dos Define el dibujo con un lápiz negro en papel calca. En este punto, puedes ser tan básico como quieras. Este proyecto se centra en el proceso de perfeccionar un boceto y estilizar tus trazos.

Paso tres Aquí vemos parte de la evolución del diseño en proceso. Es necesario que haya una gran diferencia de tamaño entre el personaje masculino y su amiga. El personaje masculino se borró con una goma moldeable y después se transformó en un “novio musculoso” para la zombi. Se sale del marco para hacer énfasis en su masa. Nadie querrá asaltar a este tipo en el cajero automático, suponiendo, para empezar, que descubra cómo retirar el dinero.

Paso cuatro Una vez que estés satisfecho con el boceto, toma una hoja de papel vitela y colócala sobre el dibujo para terminar la ilustración. Usar un lápiz negro en papel vitela nos da la imagen limpia, perfecta y de acabado cremoso que queremos darle a este dibujo. La clave es que el lápiz siempre tenga la punta afilada.

Paso cinco Concéntrate primero en el novio zombi. Enfatiza su masculinidad conservando su facciones angulares y agregándole vello facial. También exagera su mueca y las líneas del entrecejo para indicar que este zombi quizá nunca supo cómo funcionaba un cajero automático, ni vivo ni muerto.

ZOMBI EN ENTRENAMIENTO

Otra historia de triste fama cuenta que la catalepsia atacó a un niño que vivió en la época victoriana en Londres. Ernest Wicks murió por primera vez en 1895, cuando tenía 2 años de edad. Durante el examen en el depósito de cadáveres, se notó un ligero movimiento en el pecho del niño. Frotándole con fuerza los brazos, recuperó la conciencia. Para cuando Ernest tenía 13 años, había muerto muchas veces más, y en 1902 tenía por lo menos tres certificados de muerte.

Paso seis Es una buena idea que compares el boceto con el dibujo final de cuando en cuando. Hazlo para que veas cuánto se parece la ilustración final al boceto original, y para que decidas si quieres hacer cambios. Este proceso te dará una imagen diferente.

Paso siete A continuación, trabaja el resto de la figura del zombi masculino. La mayor parte de su cuerpo quedará en las sombras, por lo que podremos ver la silueta de su novia con mucha claridad. Agrégale los detalles a su camisa hecha jirones y algunos tatuajes con espinas a su brazo de mono para darle interés.

◀ **Paso ocho** Ahora, pasa a la chica zombi de ciudad. En contraste con su novio ultramasculino, ponle curvas a su esquelético cuerpo y añade toques femeninos como un moño grande a su cabeza y algunas flores a su vestido. Varía la calidad de la línea de recta a curva y de gruesa a delgada. En ella no se hará mucho trabajo de valores, así que presta especial atención cuando diseñes sus formas. El contraste entre la forma, la calidad de la línea y el valor es la clave para hacer un dibujo emocionante en blanco y negro.

▶ **Paso nueve** El dibujo del cajero automático debe ser sencillo, sólo tienes que indicar los botones y las luces que brillan. El cajero automático se vuelve real si conservas las líneas rectas y frescas y la perspectiva exacta. Después, agrega un poco más de porquería y sangre a la ilustración. Aunque esta pareja salió de compras y no a matar, ¡siguen siendo zombis!

Paso diez En el último paso, añade algunos acentos oscuros finales a la pareja de zombis. Fíjate cómo esta ilustración rompe el cuadro de composición con figuras curiosas y textura lineal. Recuerda que no tienes que ser cuadrado.

Capítulo 3:
Cómo pintar
zombis

Material para pintar

Por lo general, pintar es más difícil que dibujar porque, además de los trazos y los valores, también debes considerar el color y sus muchos aspectos, la saturación, el tono, la mezcla de pintura, los esquemas de color, etcétera. Siguiendo paso a paso los proyectos de este capítulo, obtendrás ideas para trabajar con el color y hacer tus cuadros. Este capítulo se concentrará en cómo pintar, pero, igual que en el Capítulo 2, tendrás la opción de terminar las pinturas con algunos detalles digitales.

Cepillo de dientes

Pinturas acrílicas

Lápiz para dibujar

Paleta

Lista de materiales

Para hacer los proyectos de pintura contenidos en este libro, tendrás que comprar el material que se enlista más adelante. Fíjate que al inicio de cada proyecto encontrarás una lista con el material exacto que se necesita para cada sujeto:

- Pinturas acrílicas: negro Marte, gris payno, verde cromo permanente, turquesa oscuro, azul celeste (azul cerúleo), rojo cadmio claro, rojo cadmio oscuro, marrón antiguo iridiscente, titanio sin blanquear, azul talo, amarillo de Turner, rosa claro, rojo naftol claro, azul cobalto, verde, siena quemado, violeta, ocre quemado, azul de Prusia, amarillo cadmio medio, negro, rosa retrato, blanco titanio, amarillo cadmio
- Papel vegetal multimedia
- Papel ilustración de doble capa (15" x 20"; 7" x 15")
- Tabla de conglomerado (9" x 12")
- Lápiz #2 (HB)
- Caja de 64 o 120 lápices de colores
- Sacapuntas eléctrico
- Paleta para mezclar pinturas acrílicas
- Variedad de pinceles chicos y medianos (del #00 al #6)
- Gesso blanco y transparente
- Medio mate
- Fijador en aerosol para trabajar en él
- Brocha grande, como las que se usan para pintar la casa
- Cepillo de dientes viejo
- Limpiador para vidrios
- Secadora de cabello
- Lija (cualquiera de grano fino)
- Aerógrafo
- Proyector (opcional)
- Computadora, tableta gráfica/lápiz óptico y Photoshop® (todas son opcionales, consulta la página 101)

Pintura acrílica y óleo

El acrílico es una pintura de secado rápido que contiene pigmento suspendido en una emulsión de polímero acrílico. Las pinturas acrílicas se diluyen en agua, pero se vuelven resistentes al agua cuando secan. Dependiendo de cuánto se diluya la pintura (con agua) o se modifique con geles acrílicos o pastos, el terminado de la pintura acrílica puede parece óleo o acuarela, o tener sus propias características sin parecerse a ningún otro medio. Puedes aplicar el acrílico en capas delgadas, diluido, o en trazos gruesos, como en el impasto.

Busca inspiración

Mientras aprendes a dibujar y a pintar zombis, es una buena idea que te rodees de suficientes estímulos visuales. Toda una esquina de mi estudio está dedicada a libros de consulta y artículos.

Pinceles

Cuando usamos acrílicos, recomendamos pinceles de pelo sintético. Para los proyectos de este libro, necesitarás variedad en los tamaños, desde el 00 (un pincel muy pequeño) hasta el 06 (mediano). También considera adquirir una variedad de pinceles de cerda. Los pinceles redondos tienen cerdas que se adelgazan en la punta, permitiendo una gran variedad en el tamaño de los trazos. Los pinceles planos tienen cerdas que terminan en punta cuadrada. El borde plano produce líneas gruesas, uniformes. Además de estos pinceles para acrílico, también necesitarás una brocha gorda como las que se usan para pintar la casa –un pincel grande con cerdas gruesas. Estas brochas son perfectas para cubrir rápidamente el lienzo con grandes aguadas de color. Si tienes un aerógrafo, úsalo cuando se sugiera en los proyectos, ya que produce gradaciones increíblemente suaves y realistas que es difícil lograr con los pinceles.

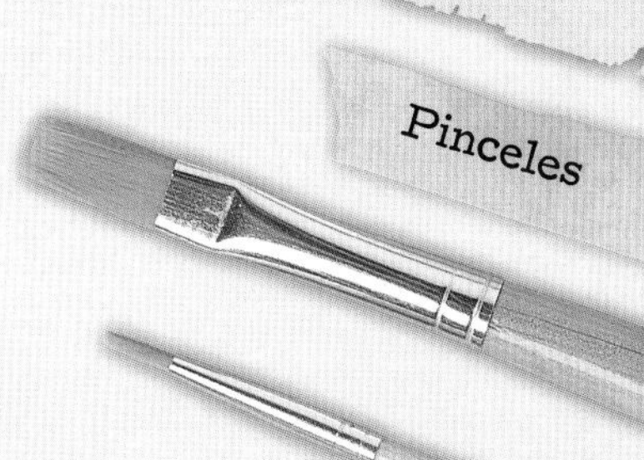

Superficies para pintar

Puedes usar la pintura acrílica prácticamente en cualquier superficie, siempre y cuando no esté grasosa o encerada. Como resultado, tienes mucha flexibilidad si se trata de superficies para pintar. Sin embargo, lo mejor es pintar en lienzos o papel ilustración cubierto con gesso blanco (un revestimiento que se utiliza para crear una superficie ideal para pintar). Recuerda que entre más brillante (o más blanca) esté la superficie donde vas a pintar, ¡más luminosos se verán los colores!

Lápices de colores

Los lápices de colores no sólo son para dibujar, también son herramientas estupendas para añadir detalles a una pintura. Si trabajas directamente sobre la pintura acrílica, puedes agregar toques de luz, intensificar las sombras, crear hebras de cabello, y más. Es importante que compres los mejores colores que puedas. Los lápices de buena calidad son más suaves y tienen más pigmento, lo que te da una cobertura más suave y más sencilla.

Retrato de un zombi malvado

Por lo general, uno quiere poner su mejor cara para un retrato. Pero no los zombis, más bien el retrato le brinda la oportunidad perfecta para demostrar lo aterrador (y desagradable) que puede ser. Con este proyecto descubrirás que el poder del gore reside en los detalles, desde venas y quistes, hasta manchas de sangre.

Materiales

- Pinturas acrílicas: rojo naftol claro, azul cobalto, verde, siena quemado, violeta, azul de Prusia, amarillo cadmio medio, negro Marte, negro, y rosa retrato claro (los colores cálidos y fríos de tu preferencia están bien)
- Papel vegetal
- Papel ilustración de doble hoja blanco (15" x 20")
- Gesso blanco
- Fijador en aerosol para trabajar en él
- Limpiador de vidrios
- Brocha, como las que se usan para pintar la casa
- Paleta para pinturas acrílicas
- Variedad de pinceles para acrílico que van del tamaño #00 al #6
- Sacapuntas eléctrico
- Cepillo de dientes
- Secadora de cabello
- Aerógrafo (opcional)
- Proyector (opcional)
- Una caja de lápices de colores
- Lija de 600 (o cualquiera de grano fino)

▲ **Paso uno** Comienza por inventar posibles posiciones y ángulos para cabezas de zombis. Para esta pintura, quiero yuxtaponer un retrato tradicional con exceso de sangre, así que elijo la imagen pensativa de tres cuartos (extrema izquierda).

▲ **Paso dos** Para hacer que este zombi luzca increíblemente malvado, concéntrate en la textura. Usando el boceto como referencia, empieza el dibujo con un lápiz negro en papel vegetal o vitela. Para este proyecto, usaremos un proyector para transferir la imagen a un papel ilustración con gesso. Te recomiendo que saques dos fotocopias de tu dibujo. Coloca una copia junto a tu tabla de dibujo, y la otra arriba de tu proyección de vez en cuando para que compruebes que el dibujo proyectado es exacto y no se ha distorsionado. (Puedes transferir este boceto, consulta "Cómo transferir un dibujo", en la página 25.)

◀ **Paso tres** Comienza la pintura colocando los siguientes colores en tu paleta: siena quemado, violeta, rojo naftol claro, verde, azul de Prusia, negro Marte, negro y amarillo cadmio medio. Combina el siena quemado con el amarillo cadmio medio y el rojo naftol claro, y dilúyelos con mucha agua. Con una brocha grande, como las que se usan para pintar la casa, cubre rápidamente la superficie, y deja secar los brochazos grandes y el moteado. Para que seque rápido, usa la secadora. Después de esto, añade una capa delgada de fijador. Ahora, la pintura está lista para la siguiente capa de color frío y transparente.

▶ **Paso cuatro** A continuación, haz una mezcla de verde, azul de Prusia y un poco de negro, y dilúyela con mucha agua. Usa la brocha grande (bien enjuagada y limpia), y aplica el color con brochazos toscos alrededor del zombi. La frialdad del fondo ayudará a que la cálida cabeza y cuerpo del zombi avancen hacia el lector.

◀ **Paso cinco** Después, carga el aerógrafo con un poco de negro Marte y comienza a añadir las áreas de sombra bajo la nariz, los ojos y la mandíbula. Dale sombra a las orejas y al cuero cabelludo. Estas suaves gradaciones de sombra le dan forma al zombi. Si no tienes aerógrafo, agrega sombras con delgadas aguadas de pintura, suavizando los bordes con agua.

▶ **Paso seis** Luego, prepara una mezcla de 50/50 de gesso blanco y agua, y úsala para pintar varias veces el fondo, preparándolo para la siguiente capa de moteado. Prepárate para los tonos fríos del zombi, limpia tu paleta y llénala con verde, azul de Prusia, negro Marte, azul cobalto y rosa retrato claro.

◀ **Paso siete** A continuación, añade los colores al zombi y comienza a crear los valores oscuros. En este punto, sólo experimenta con los fríos contra los cálidos y diviértete con las posibilidades. Si agregas un poco de verde a la mezcla del Paso cuatro, lograrás armonizar al zombi con el fondo.

▶ **Paso ocho** En este paso, concéntrate en añadir texturas al fondo y en algunas de las secciones del zombi. Comienza con el aerógrafo, o aplicando aguadas delgadas en áreas grandes con un poco de siena quemado y negro hasta que se vuelva semiopaco. Luego, con un cepillo de dientes, salpica la pintura con una cantidad muy pequeña de limpiador de vidrios, el amoniaco se comerá parte de la pintura y creará un patrón único de moteado. Cuando apliques la capa de siena quemado y negro en toda la ilustración, descubrirás que fundiste al zombi con el fondo.

◀ **Paso nueve** Después de enjuagar rápido el aerógrafo, cárgalo con azul cobalto y negro Marte. Luego, rocía ligeramente la ilustración, unificando los cálidos con los fríos. Toma un trapo mojado y quita con cuidado el exceso. Si no tienes aerógrafo, aplica entonces aguadas delgadas a la pintura. Con esto, la ilustración logra una profundidad de capas maravillosas y complejas que no conseguirías de otra manera. Ahora, como el zombi está mezclado con el fondo, usa blanco para marcar el borde de luz a lo largo de la orilla izquierda de la casa para separarlo del fondo y crear una sensación de drama. En este caso, fíjate que necesitas una fuerte sombra central para que el borde de luz surta efecto.

▶ **Paso diez** A continuación, comenzaremos el proceso de trabajar capas múltiples, usando gesso rebajado (80% agua y 20% gesso). Con un pincel #00, aplica seis u ocho capas del gesso rebajado al zombi, y rocíalo con el fijador cada par de capas para conservar la transparencia de los colores subyacentes mientras al mismo tiempo se crean las luces. Cuando termines con las capas de gesso, toma una variedad de lápices de colores y dibuja la ilustración.

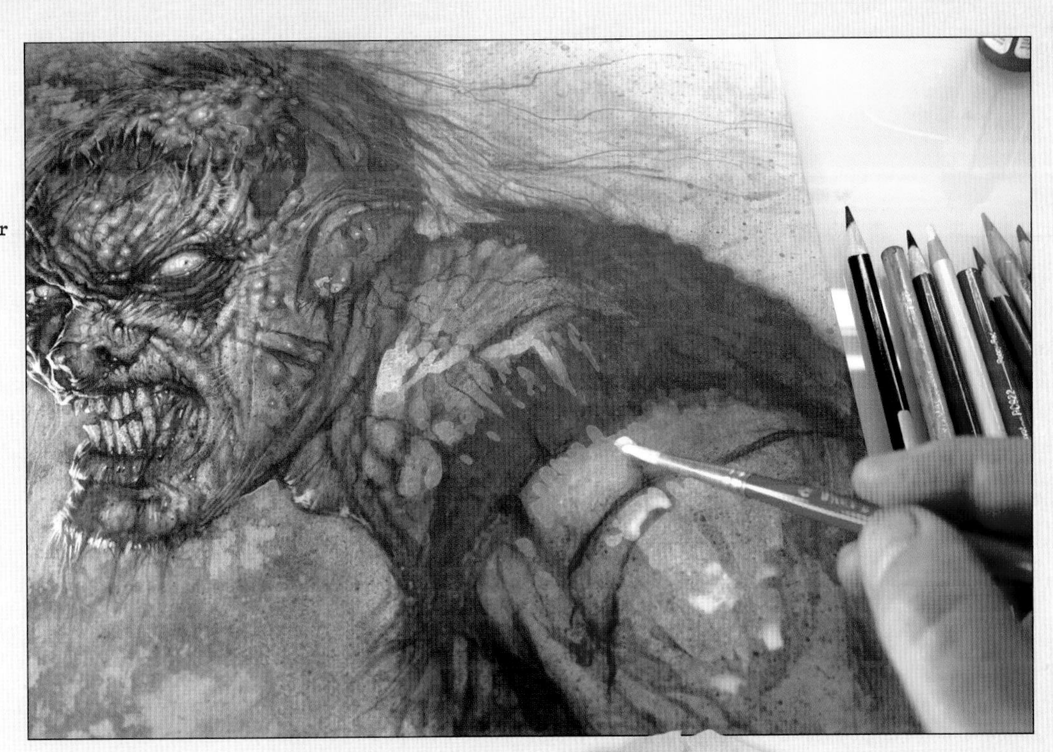

LOS DETALLES SANGRIENTOS

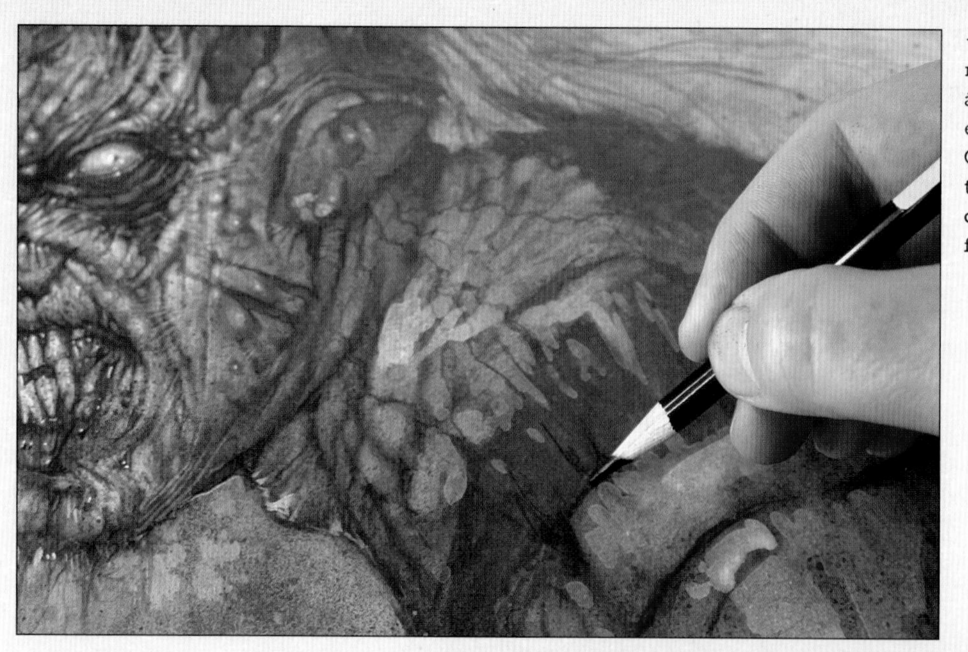

◀ **Paso once** Con un lápiz de color negro, detalla al zombi fortaleciendo las áreas oscuras, intensificando las sombras en las arrugas y en los furúnculos. Constantemente recuerda el diseño de tus figuras y tus líneas, porque un dibujo como este se vuelve desaliñado con facilidad.

▶ **Paso doce** Para el paso final, agrega otra capa de aguada, usando un poco del gesso rebajado combinado con un poco de verde y negro para enfatizar la apariencia de piel podrida. Después usa el lápiz negro para definir las formas, crear profundidad y oscurecer cualquier área que se pierda en todas las aguadas. Para completar lo sangriento de la imagen, usa un cepillo de dientes para salpicar sólo rojo naftol claro en todas las heridas del zombi para dar una apariencia de sangre fresca —el horripilante final de una buena ilustración.

LOS DETALLES SANGRIENTOS

Chica zombi gótica

Con tatuajes, piercings, y drásticos tonos de piel, esta chica zombi gótica combina la belleza etérea con el propósito mortal. Aunque no es exactamente la clase de chica que quisieras llevar a casa para que la conozcan tus papás, es el tema perfecto para otra ilustración en tu creciente portafolio de monstruos zombis.

▲ **Paso uno** Haz el boceto de una composición dramática, marcando el contraste de valores y el flujo de líneas.

Materiales

- Pinturas acrílicas: negro Marte, rosa retrato claro, rojo cadmio claro, rojo cadmio oscuro, marrón antiguo iridiscente
- Papel ilustración de doble hoja blanco
- Una caja de lápices de colores
- Lija de 600 granos (cualquier lija de grano fino está bien)
- Secadora de cabello
- Gesso transparente
- Brocha, como las que se usan para pintar la casa
- Varios pinceles, de pequeños a medianos, para acrílico
- Aerógrafo (opcional)

Paso dos Para este proyecto, crearemos una zombi gótica. Comienza trabajando con un lápiz negro con buena punta en papel ilustración blanco de doble hoja. Remarca con fuerza la cara y la cabeza, enmarcando su mortífero pero inquietantemente bello rostro con mechones de cabello y volutas de humo. (Puedes transferir este boceto, consulta "Cómo transferir un dibujo", en la página 25.)

Paso tres Con un pincel ancho, aplica grandes pinceladas de negro Marte diluido en el cabello. Para la cara, mezcla un poco de rosa retrato claro con rojo cadmio claro y una muy buena cantidad de agua. Después usa una brocha grande, como las que se usan para pintar la casa, para aplicar una capa de gesso transparente en el dibujo y la pintura, sellándola para el siguiente paso.

Paso cuatro Una vez que el gesso seque, toma la lija y pásala ligeramente sobre la ilustración. Esto suaviza la superficie para el aerógrafo y sella el dibujo al mismo tiempo.

Paso cinco Los ojos juegan un papel importante en la imagen gótica. Toma un poco de rojo cadmio fuerte y mézclalo con un toque de rojo retrato claro, y luego adelgázalos con agua para pintar los bordes de los ojos. A continuación, delinea los ojos con un poco de negro Marte y rojo cadmio fuerte para darles una definición gráfica.

Paso seis Con un lápiz negro con buena punta, concéntrate en el complicado diseño de sus tatuajes. Con cuidado, diseña atractivas formas y alterna líneas delgadas y gruesas, prestando atención también en cómo siguen la estructura ósea de la zombi. Para el humo, usa un lápiz gris al 30%, frío. Fíjate que las figuras del humo también están delicadamente diseñadas.

Paso siete Otras dos características góticas llamativas y reconocibles son la piel pálida y el cabello oscuro. Haz una mezcla de 20% gesso blanco y 80% agua. Después, con un pincel mediano, comienza a aplicar capas delgadas en la cara. Este proceso requiere cinco o seis capas, así que puedes usar la secadora después de cada capa para acelerar el secado. A continuación, oscurece el cabello de manera considerable pintándolo con un par de capas de negro Marte diluido. Para los labios y el hueso de la ceja, puedes usar un poco de marrón antiguo iridiscente y rojo cadmio oscuro para darle una apariencia sangrienta y rojiza.

▶ **Paso ocho** Volviendo a los ojos, toma un lápiz de color rosa y comienza a suavizar el rojo, dándole una imagen más realista. A continuación, usa el mismo lápiz para dar una sombra ligera a la punta de la nariz, partes de la frente y debajo de los ojos para insinuar la vida que alguna vez hubo allí. Con un lápiz gris, agrega piercings a la nariz y los labios, como sus accesorios favoritos. Después, concéntrate en los tatuajes, usando un lápiz blanco para delinearlos. Esto crea una ligera calidad tridimensional y también funde los tatuajes con el humo.

▼ **Paso nueve** Luego, usa el aerógrafo para comenzar a suavizar y a oscurecer algunas áreas. Llena el aerógrafo con la pintura de los colores del área en la que estás trabajando. Suaviza los bordes alrededor de la cara, los ojos y el humo. Después, oscurece un poco el cabello. Si no tienes aerógrafo, aplica capas delgadas de pintura para oscurecer o suavizar las áreas.

Paso diez Para el paso final, añade los toques de luz a las áreas que necesitan resaltar, incluyendo los ojos, los piercings y hasta los dientes.

Muñeca vudú

Hasta las cosas pequeñas pueden resultar mortales en el mundo de los zombis, como lo prueba esta muñeca vudú. Resaltando los alfileres que drenan la vida y los patrones de flamas, esta ilustración se concentra en los elementos supernaturales que se han vuelto parte de la leyenda zombi.

▶ **Paso uno** Haz un boceto rápido de una muñeca y ajusta la figura y la expresión.

Materiales

- Pinturas acrílicas: verde permanente, turquesa oscuro, rojo cadmio claro, marrón antiguo iridiscente, amarillo de Turner.
- Lápiz #2
- Papel ilustración de doble hoja (7" x 15")
- Una caja de lápices de colores
- Gesso blanco
- Un cepillo de dientes viejo
- Una paleta de pintura acrílica
- Variedad de pinceles chicos para acrílicos

Paso dos Comenzaremos la pintura de esta muñeca vudú zombi con papel ilustración blanco y un lápiz #2. Este papel da una textura "dentuda", mientras que el lápiz #2 nos permite difuminar las líneas y lograr una apariencia sucia. En contraste, el papel vitela o vegetal (que utilizamos para muchos proyectos de este libro) produce una textura cremosa y permite que el artista haga líneas limpias y precisas. Esta elección es simplemente cuestión de preferencia. (Puedes transferir este boceto, consulta "Cómo transferir un dibujo", en la página 25.)

Paso tres Haz los bloques de la muñeca, después empieza a trabajar en los detalles del vestido. La difuminación y la arenilla del lápiz en realidad contribuyen a la apariencia de este sujeto.

Paso cuatro Después agrega patrones tipo flamas y diseños exóticos al vestido. Una vez que los acentos oscuros y los alfileres que drenan la vida estén en su sitio, estamos listos para añadir el color.

NO ES UNA RELIGIÓN

No considerado una religión, el vudú no cuenta con la estructura generalmente asociada con otras creencias: no hay reuniones frecuentes ni sacerdotes oficiales. Hoy, se encuentran variaciones de este sistema de creencias en Brasil, Cuba, Puerto Rico, el Caribe y África Occidental. En Estados Unidos, comúnmente el vudú se practica en Nueva Orleans, la parte occidental de los pantanos de Louisiana, y zonas del sur de Carolina. Cada una de estas áreas tiene una variación ligeramente diferente desde Candomblé hasta Umbanda, desde Arará hasta Changó, desde Santería hasta Lukumi.

◀ **Paso cinco** Comienza con aguadas muy diluidas de pintura acrílica, en tonos tierra como el marrón antiguo iridiscente y el verde permanente. Con esta ilustración no tienes que preocuparte por pintar afuera de las rayas.

▼ **Paso seis** Con un poco de rojo cadmio claro y mucha agua, aplica una aguada cálida en la cara y el cuerpo. Después, usa un poco de turquesa oscuro como acentos para dar un llamativo contraste a los tonos rojos. A continuación, toma un cepillo de dientes viejo, sumérgelo en las pinturas ya mezcladas de tu paleta y salpica toda la ilustración.

Paso siete En este paso, nos concentraremos en la cara de la muñeca vudú zombi. Para crear una apariencia espeluznante y pálida, mezcla una pequeña cantidad de gesso blanco fuertemente diluido (aproximadamente 60% agua y 40% gesso). Luego, con un pincel pequeño, comienza a aplicar en todas las formas de la cara, dejando la pintura subyacente sin pintura para sugerir las arrugas y los pliegues.

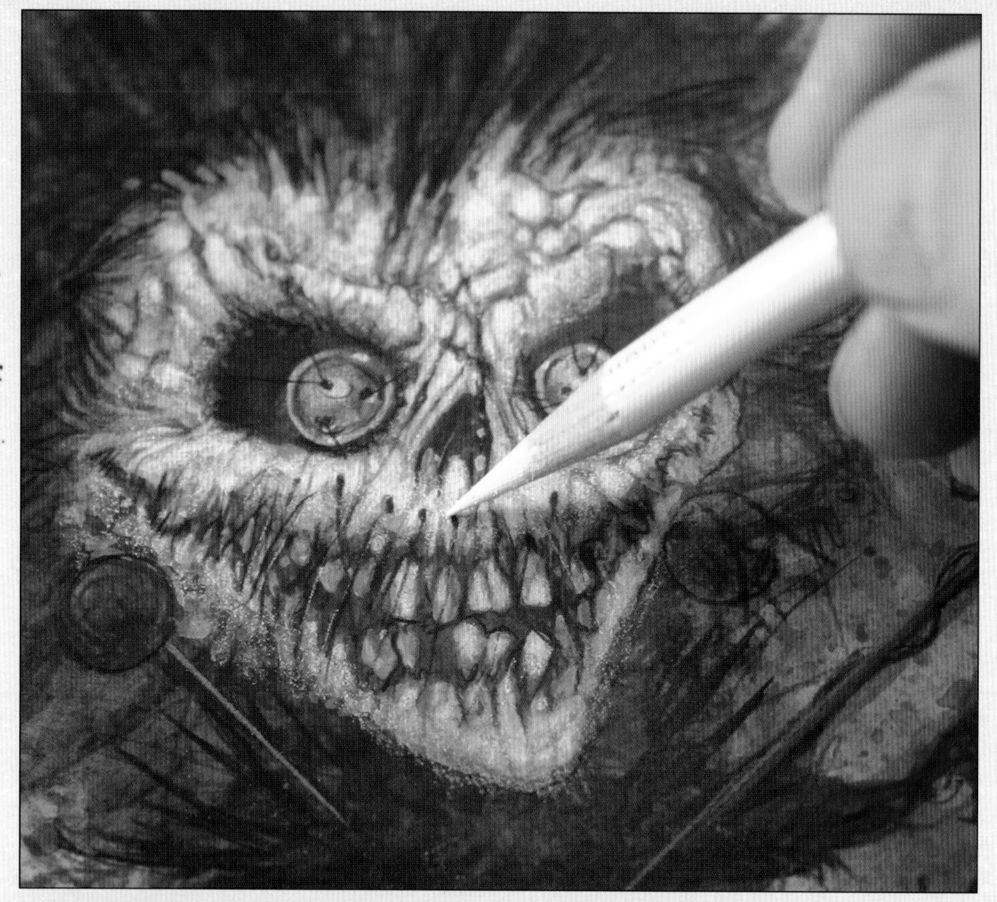

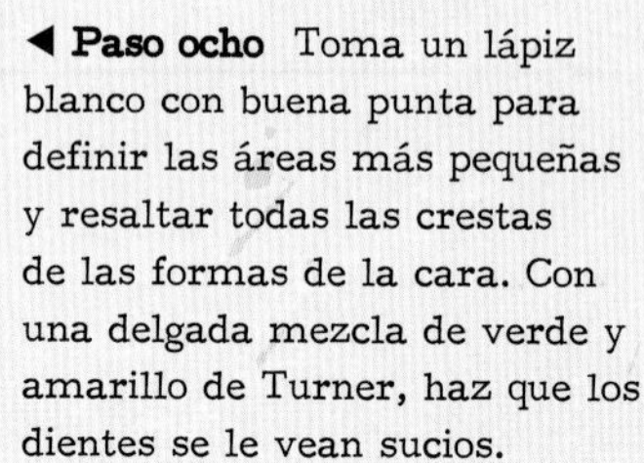

◀ **Paso ocho** Toma un lápiz blanco con buena punta para definir las áreas más pequeñas y resaltar todas las crestas de las formas de la cara. Con una delgada mezcla de verde y amarillo de Turner, haz que los dientes se le vean sucios.

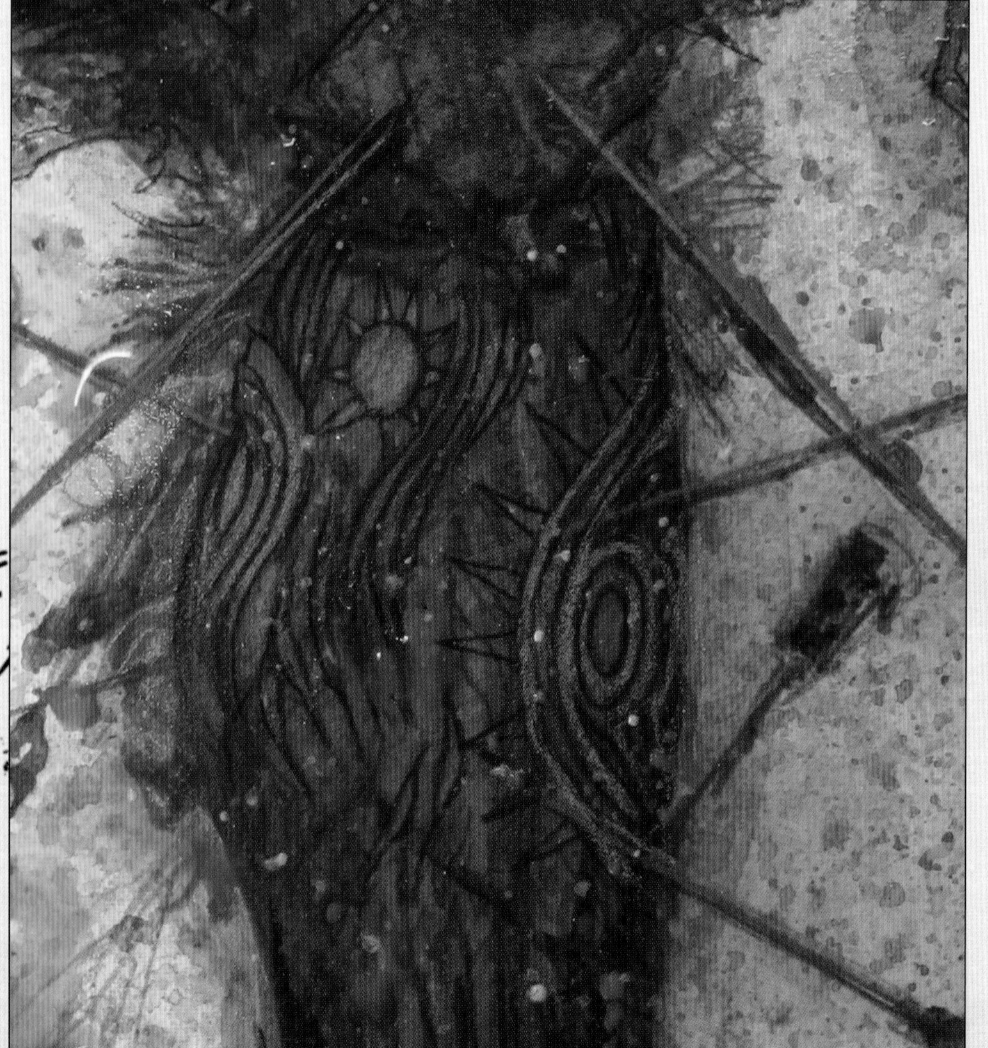

◀ **Paso nueve** A continuación, usa los demás lápices de colores para detallar el vestido y los alfileres (fíjate en la cabeza del alfiler que aparece en la fotografía inferior). Define todas las figuras delineándolas con un lápiz negro. Después, toma un viejo cepillo de dientes, sumérgelo en un poco de la mezcla de pintura roja, y esparce el mortal color en toda la ilustración.

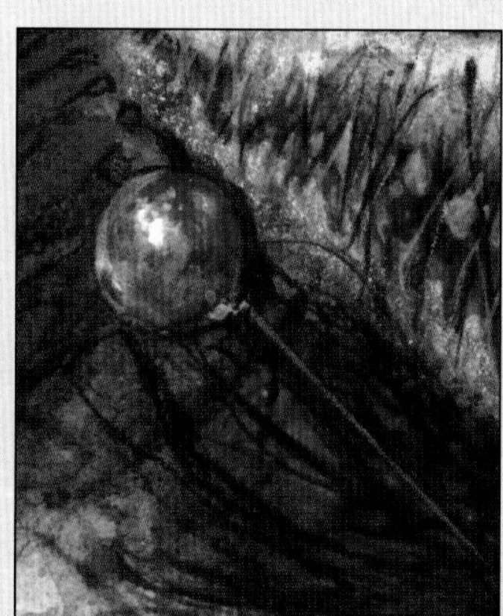

Mascota zombi

A diferencia de los humanos, los zombis no tienen que preocuparse de que se enfermen sus mascotas. A pesar de que este gato zombi no ronronea ni desea acurrucarse en tus piernas, está hecho para durar para siempre. Este es un gato callejero que no querrás dejar entrar a casa en una noche lluviosa.

Materiales

- Pinturas acrílicas: negro Marte, gris payno, verde cromo permanente, turquesa oscuro, azul celeste, rojo cadmio claro, marrón antiguo iridiscente, titanio sin blanquear, azul de Prusia, amarillo de Turner, rosa retrato claro.
- Papel vegetal o vitela multimedia
- Una caja de lápices de colores
- Tabla de conglomerado (9" x 12")
- Gesso blanco
- Fijador en aerosol para trabajar en él
- Una brocha, como las que se usan para pintar una casa
- Cepillo de dientes viejo
- Paleta para pinturas acrílicas
- Variedad de pinceles chicos para acrílico
- Secadora de cabello

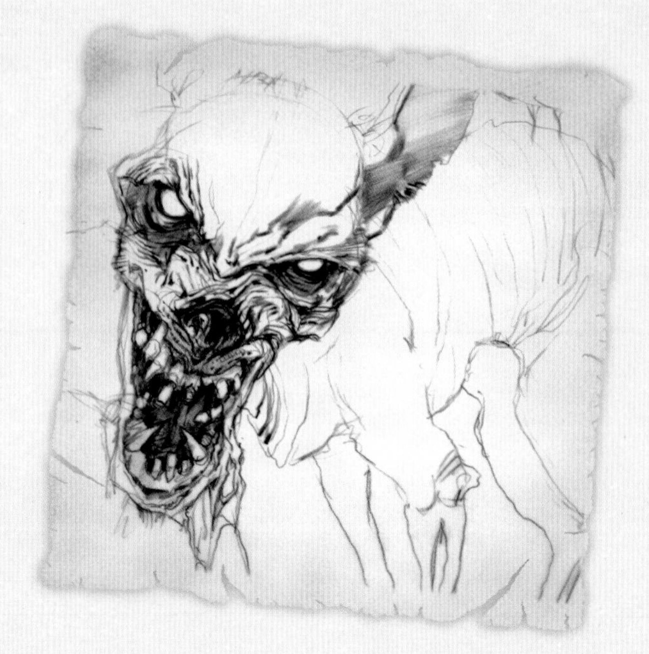

▲ **Paso uno** Para este proyecto, crearemos nuestra propia mascota zombi. Con un lápiz negro con buena punta, haz un boceto del animal en papel vegetal. Primero sombrea los valores oscuros de la cabeza para establecer rápidamente la personalidad maniaca de esta mascota. (Puedes transferir este boceto, consulta "Cómo transferir un dibujo", en la página 25.)

Paso dos Marca el resto de los valores de la cabeza, y continúa con el cuerpo. Agregué algunos dibujos en el borde de la hoja. Decidí dejarlos allí para probar los diferentes esquemas de color, y también porque le dan cierto encanto a toda la imagen.

◀ **Paso tres** A continuación, haremos que la mascota zombi luzca extremadamente descarnada y parezca rata. Para lograrlo, primero, ábrele la boca para que enseñe dientes largos y grotescos; y por último, añade crecimientos antiestéticos en la cabeza y la caja torácica. Utiliza líneas quebradas en sus patas y orejas para mostrar el desgaste de su piel.

▼ **Paso cuatro** Una vez terminado el dibujo, haz una copia a color y elige el tono sepia. Toma la copia, rocíala con el fijador y sumérgela en un poco de agua. Luego coloca la imagen mojada en la tabla de conglomerado, y en un recipiente prepara una solución 50% agua y 50% mate medio. Usa la brocha para pintar la casa para aplicar la mezcla en el dibujo. Esto fija el dibujo en la tabla y brinda una superficie sólida y resistente que no se comba cuando empiezas a pintar con acrílicos diluidos en agua.

Paso cinco Una vez que la tabla seque, utiliza una mezcla con mucho agua de azul celeste y negro Marte para fijar el tono de la piel del gato zombi, dando la sensación de que es un cadáver. Luego, pinta la boca, los ojos y las heridas profundas con una mezcla más espesa de rojo cadmio claro y rojo cadmio oscuro para crear un efecto mortífero.

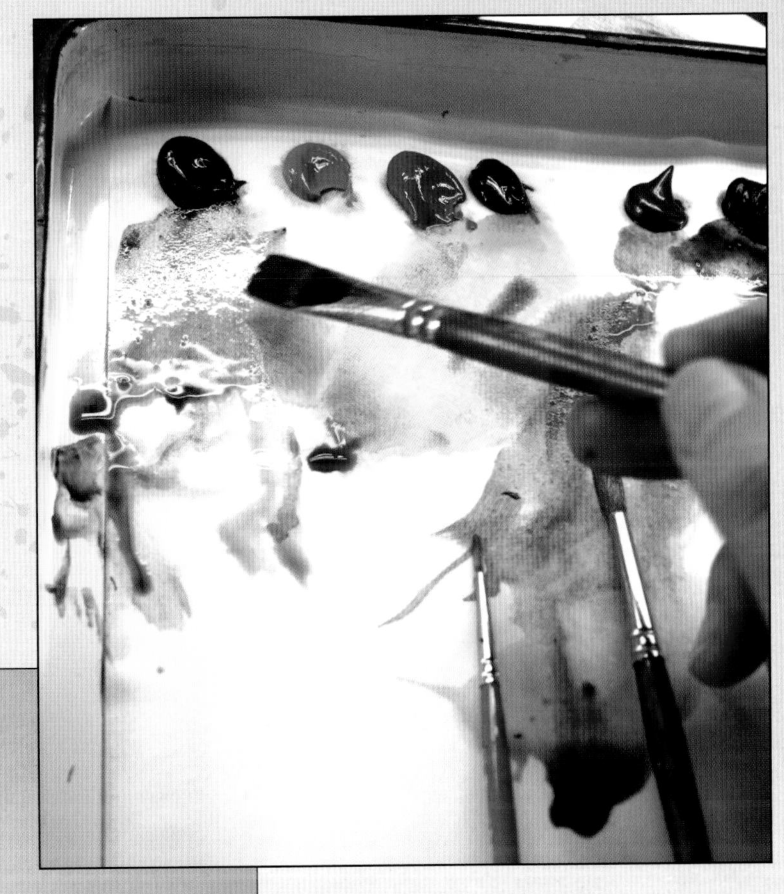

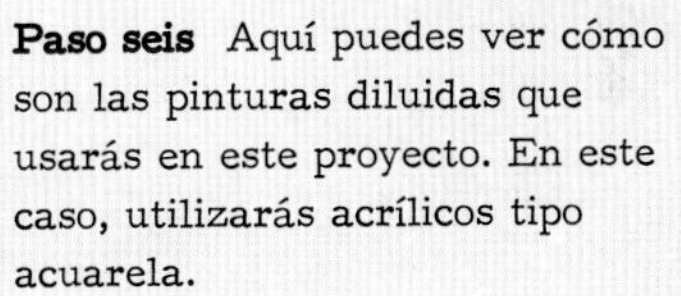

Paso seis Aquí puedes ver cómo son las pinturas diluidas que usarás en este proyecto. En este caso, utilizarás acrílicos tipo acuarela.

Paso siete Diluye gris payno y luego cubre el dibujo con esta aguada varias veces para mezclar los cálidos rojos con los fríos azules. Después, toma la secadora de cabello y seca rápido la pintura. A continuación, empieza a agregar una capa delgada de amarillo de Turner y verde cromo en ciertas partes del cuerpo y los dientes de la criatura para hacer énfasis en sus cualidades poco higiénicas y su ictericia.

Paso ocho Toma un cepillo de dientes viejo y sumérgelo en una mezcla de rojo cadmio oscuro y rojo cadmio claro. Luego, espárcelo para crear asquerosa sangre alrededor de la boca. Después de lavar el cepillo de dientes, sumérgelo en una mezcla de gris payno y azul de Prusia, y salpica toda la pintura, dándole una imagen sucia, añeja. Nota: Hice experimentos con los dibujos de la orilla para darme ideas para la pintura.

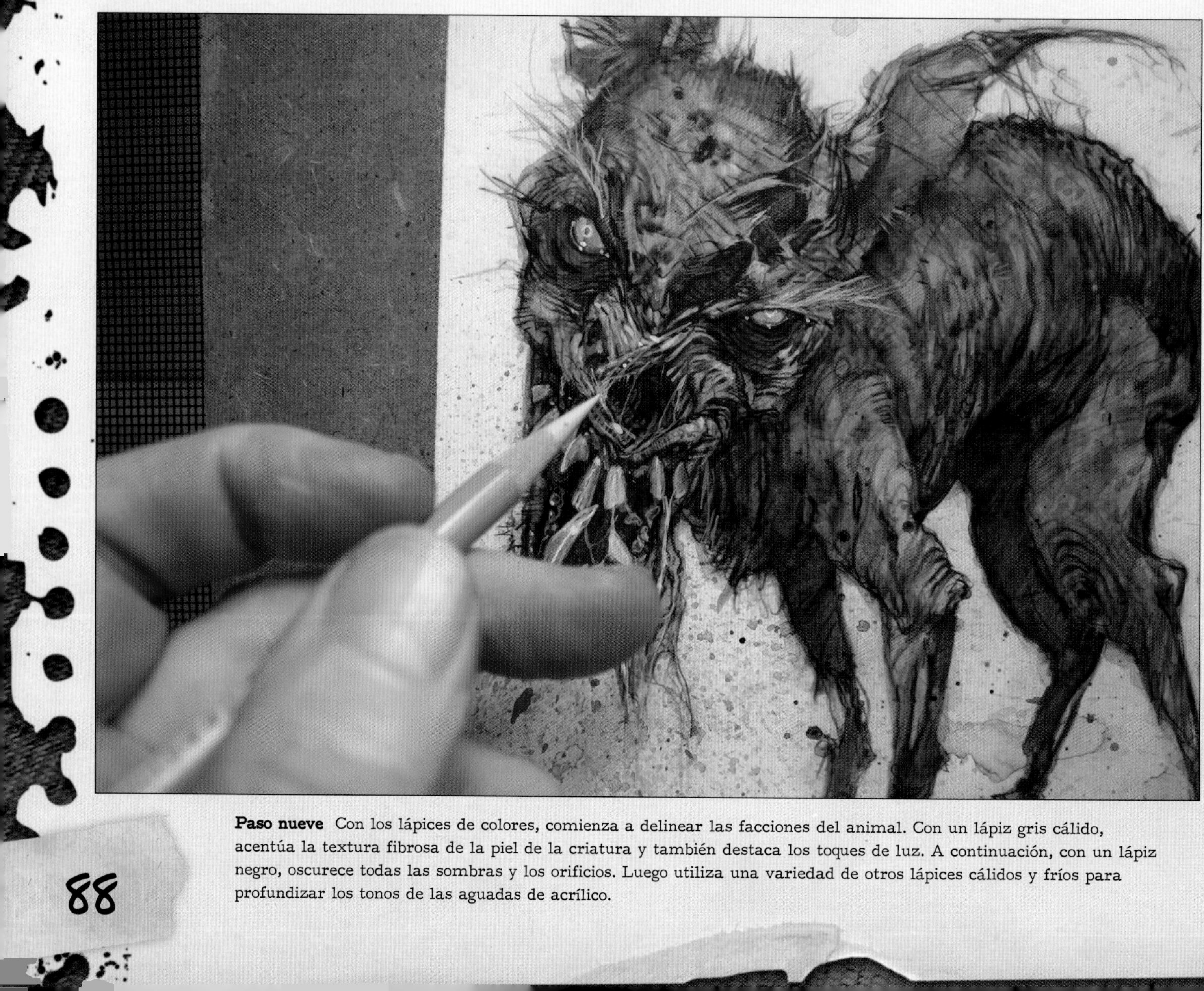

Paso nueve Con los lápices de colores, comienza a delinear las facciones del animal. Con un lápiz gris cálido, acentúa la textura fibrosa de la piel de la criatura y también destaca los toques de luz. A continuación, con un lápiz negro, oscurece todas las sombras y los orificios. Luego utiliza una variedad de otros lápices cálidos y fríos para profundizar los tonos de las aguadas de acrílico.

DETALLES

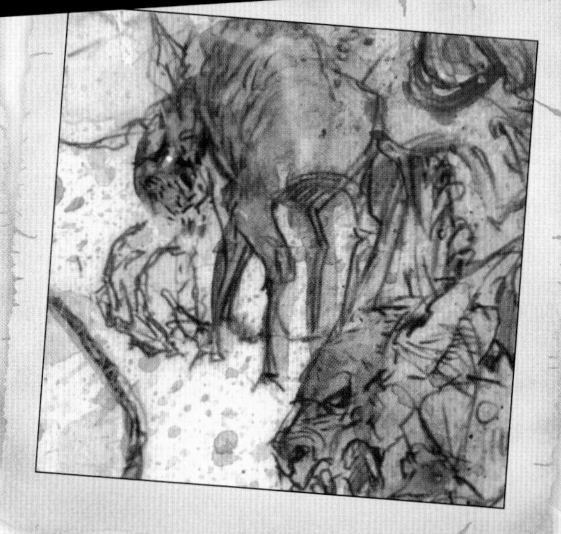

Refrigerio de media noche

Durante siglos, los vampiros se han llevado toda la diversión. ¿Quién dice que los zombis no pueden ser sensuales y románticos también? Esta ilustración es una simple composición diagonal y un intenso aglutinamiento. Ambos elementos se unen a la intimidad de este zombi de apetito refinado, que sale a pasear por la ciudad en la noche.

Paso uno Crea un boceto de la escena indicando las figuras principales e incorporando los valores básicos.

Materiales

- Pinturas acrílicas: negro Marte, verde cromo permanente, verde, rojo cadmio oscuro, rosa retrato, amarillo de Turner, marrón iridiscente, blanco titanio, amarillo cadmio
- Pincel chico para acrílico
- Papel vegetal o vitela
- Tabla de conglomerado
- Mate medio
- Brocha, como las que se usan para pintar la casa
- Cepillo de dientes viejo
- Paleta
- Computadora y Photoshop®
- Escáner

▶ **Paso dos** Con lápiz color rojo, marca los bloques del dibujo en una hoja de papel vegetal. (Puedes transferir este boceto, consulta "Cómo transferir un dibujo", en la página 25.) Hacer un acercamiento de los dos personajes principales y exponer el cuello de la mujer producirá una sensación de vulnerabilidad al espectador, así como cierta cantidad de sensualidad sádica. Una vez terminado el dibujo, sácale una copia y rocíala con el spray fijador. Primero, sumérgelo en agua un par de segundos, después móntalo en la tabla de conglomerado y cúbrelo con una mezcla de 50% mate medio y 50% agua con una brocha vieja, como las que se usan para pintar la casa. Estos pasos tienen varios beneficios: uno, tendrás una superficie plana, sin distorsiones; dos, tendrás una textura estupenda para dibujar en ella; y tres, no tienes que preocuparte por escanear una ilustración torcida en las etapas finales. A continuación, mezcla un poco de verde cromo permanente con mucho agua y, con un pincel grande, cubre rápido al zombi con esta aguada.

▶ **Paso tres** Después, usa un aerógrafo para marcar todas las sombras y las sombras centrales de la cara del zombi. Si no tienes aerógrafo, marca las sobras usando aguadas delgadas de pintura. Para el color, mezcla un poco de verde cromo permanente y negro Marte. Asimismo, suave y sutilmente pasa el rostro de la chica con la mezcla verde para crear una pieza unificada. Para hacer los antiestéticos furúnculos en la cara de él, haz pequeños círculos verdes. Después, toma un pincel chico y resalta el centro de cada uno con un poco de gesso blanco y agua.

▼ **Paso cuatro** Para añadir más textura a la piel del zombi, toma un viejo cepillo de dientes y embárralo con los colores de la paleta. Después, salpica a la criatura con la paleta. Nota: Quizá hayas notado en las otras ilustraciones de este libro que el viejo cepillo de dientes es una de mis herramientas confiables.

◀ **Paso cinco** Para el tono de piel de la chica, usa una mezcla de rojo cadmio oscuro y rosa retrato. Los colores del zombi deben complementar a los de la muchacha: él tiene que ser de un verde macabro y ella, de un rojo cálido, brillante.

▶ **Paso seis** Rocía con el aerógrafo el resto de la cara y el cuello de la chica con un poco de amarillo de Turner y marrón antiguo iridiscente. Para las sombras principales, mezcla un poco de verde. Si no tienes aerógrafo, aplica capas delgadas de pintura, creando suaves mezclas que sugieran la curvatura de sus formas.

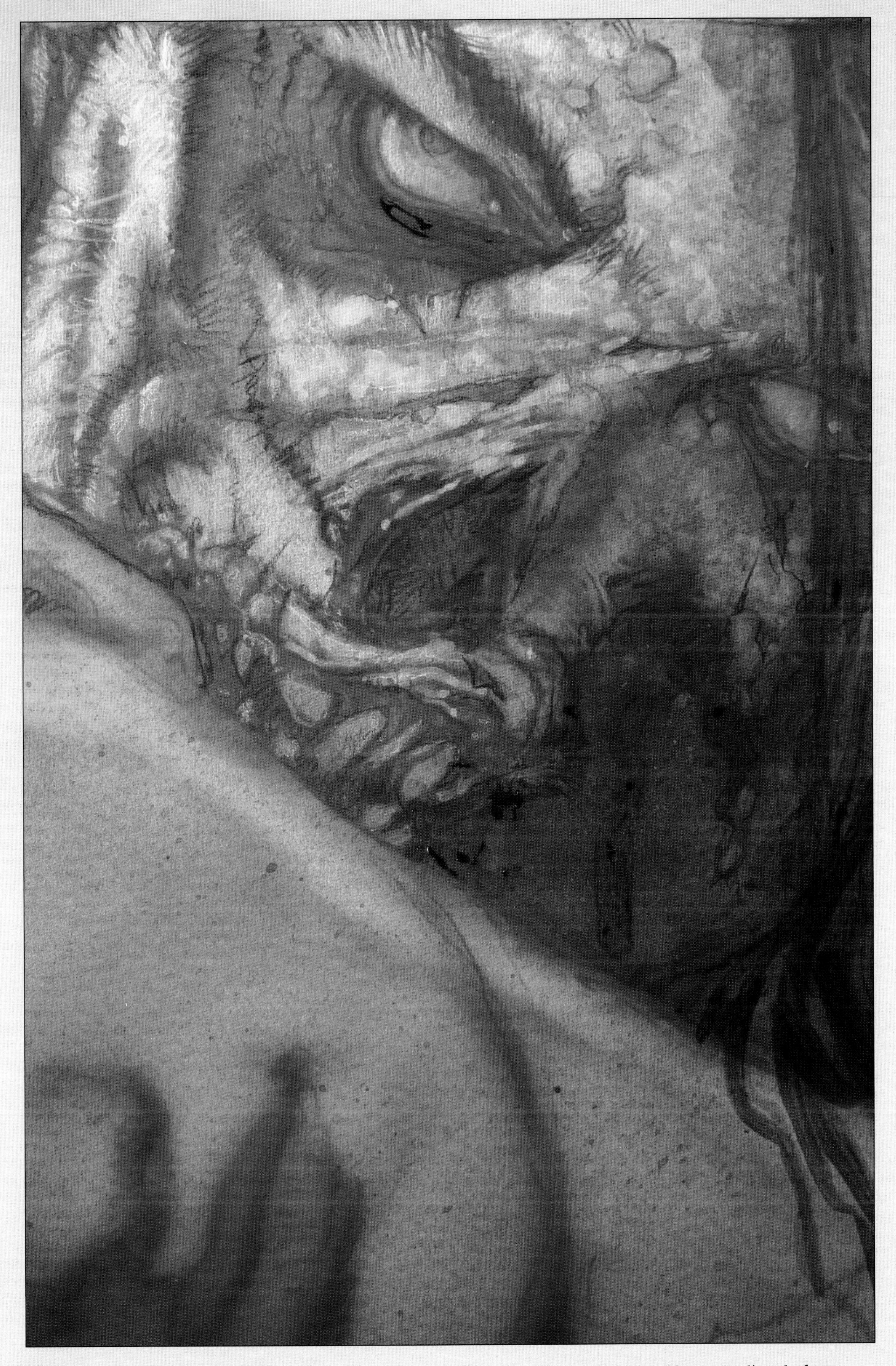

Paso siete Ahora, comienza a resaltar algunas de las áreas importantes de la cara del zombi para explicar la fuente de luz. Para ello, usa un lápiz color blanco, asegurándote de diseñar los trazos conforme vayas sombreando. Para producir una textura lechosa para sus ojos, mezcla un poco de rosa retrato y blanco titanio.

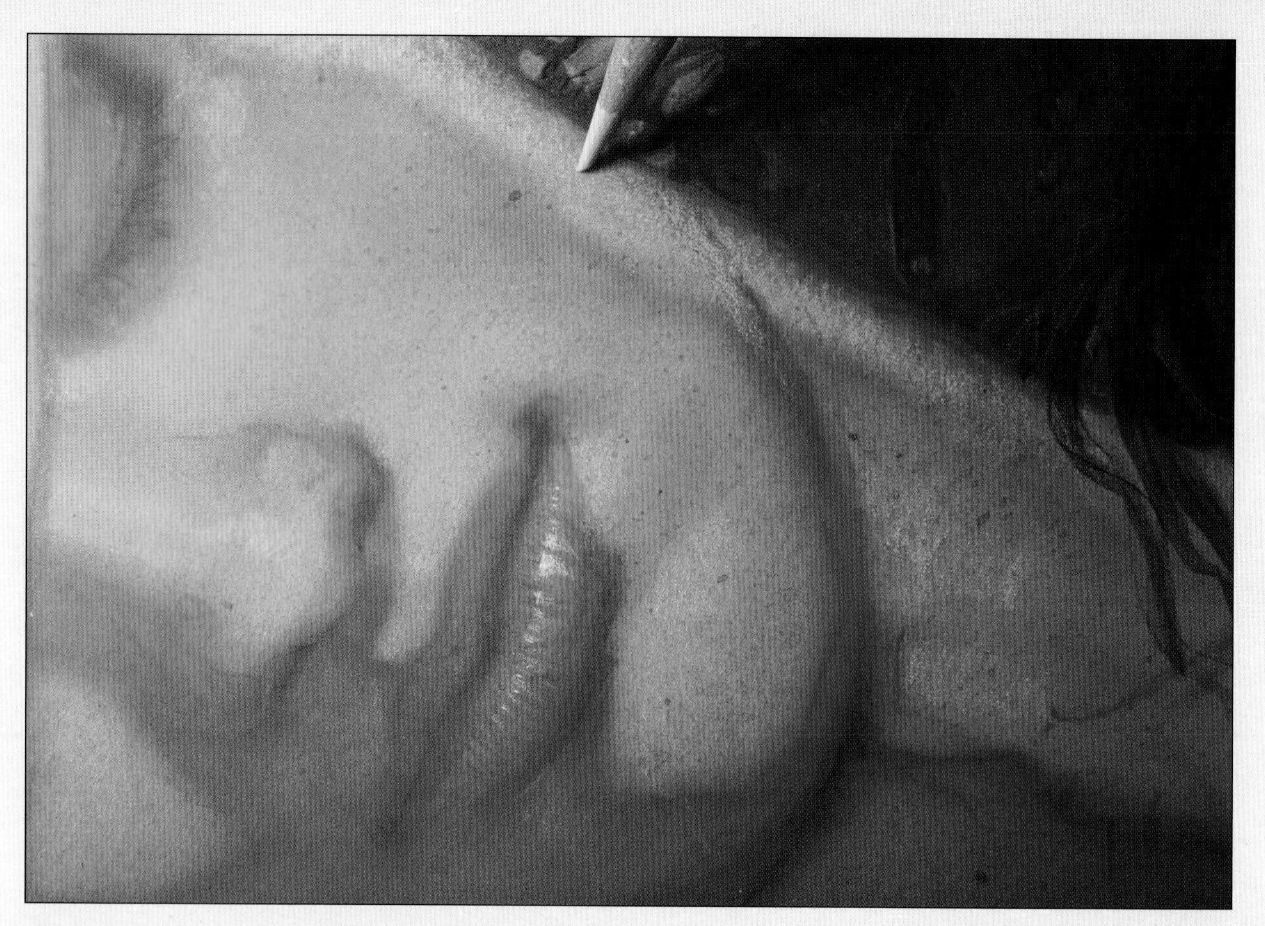

Paso ocho A continuación, regresa con la chica. Queremos retratar la vida cálida y tranquila que pulsa en su interior, creando así un contraste con nuestro zombi muerto. Hazlo imaginando que la fuente de luz viene de una crujiente chimenea cercana. Para lograr este brillo, llena el aerógrafo con la mitad de amarillo cadmio y la mitad de agua. Después, rocía una ligera bruma en su cara y cuello. Si no tienes aerógrafo, aplica entonces una delgada capa de aguada. Luego, toma un lápiz amarillo cálido y resalta ciertas áreas de su rostro y cuello, agregando al mismo tiempo un poco de textura en las suaves capas de pintura.

Paso nueve Ya terminamos con la pintura. Para resaltar el trabajo con algunos ajustes digitales, sigue el resto de los pasos. Comienza por escanearlo en Photoshop®. Trabajaremos esta pieza directamente en una tabla digital con un lápiz óptico.

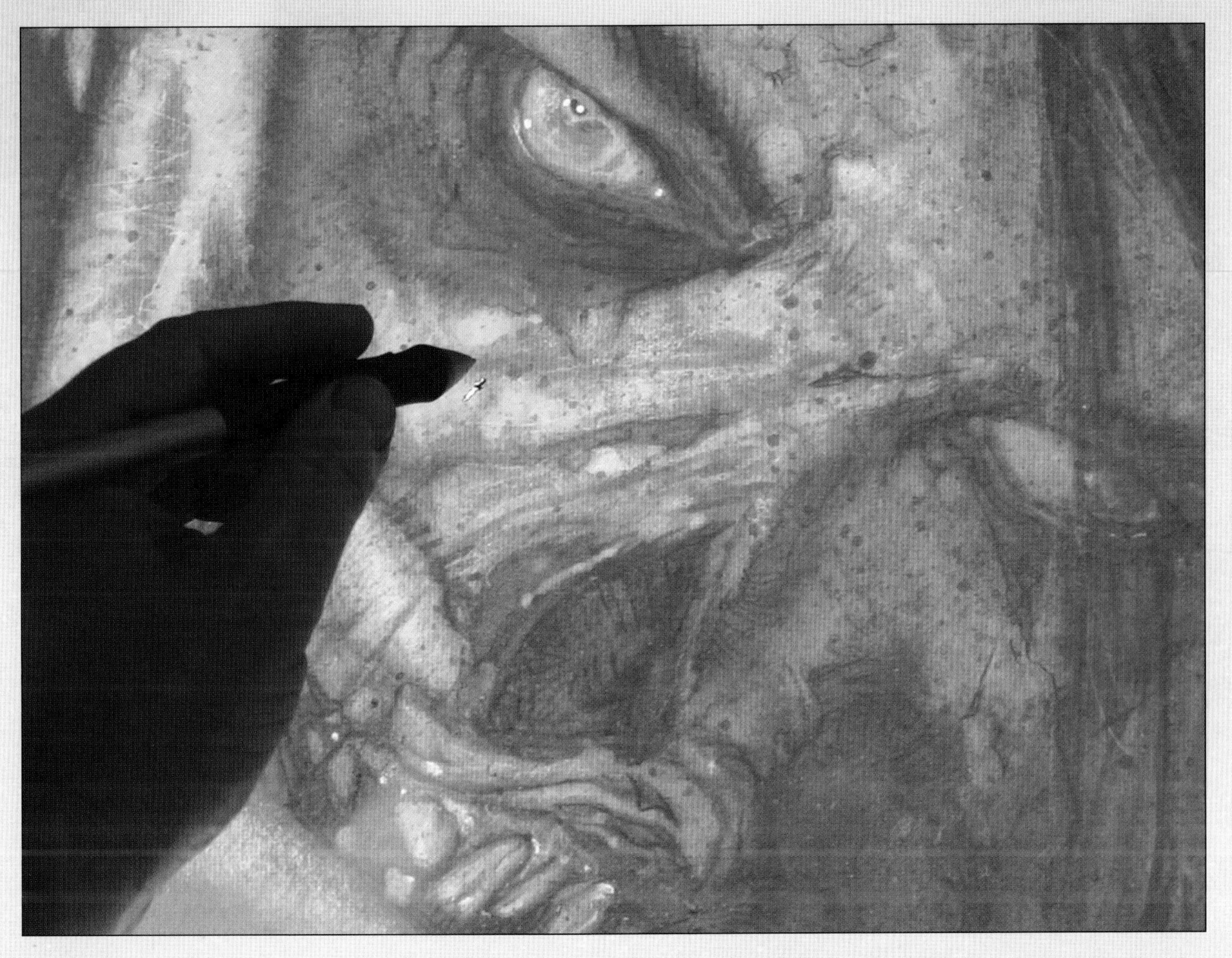

Paso diez Usando Photoshop® en la última etapa de la ilustración, puedes lograr un terminado increíble e impresionante en cuestión de minutos. Selecciona la herramienta abrillantar y comienza a resaltar puntos importantes en varias áreas de los resaltes.

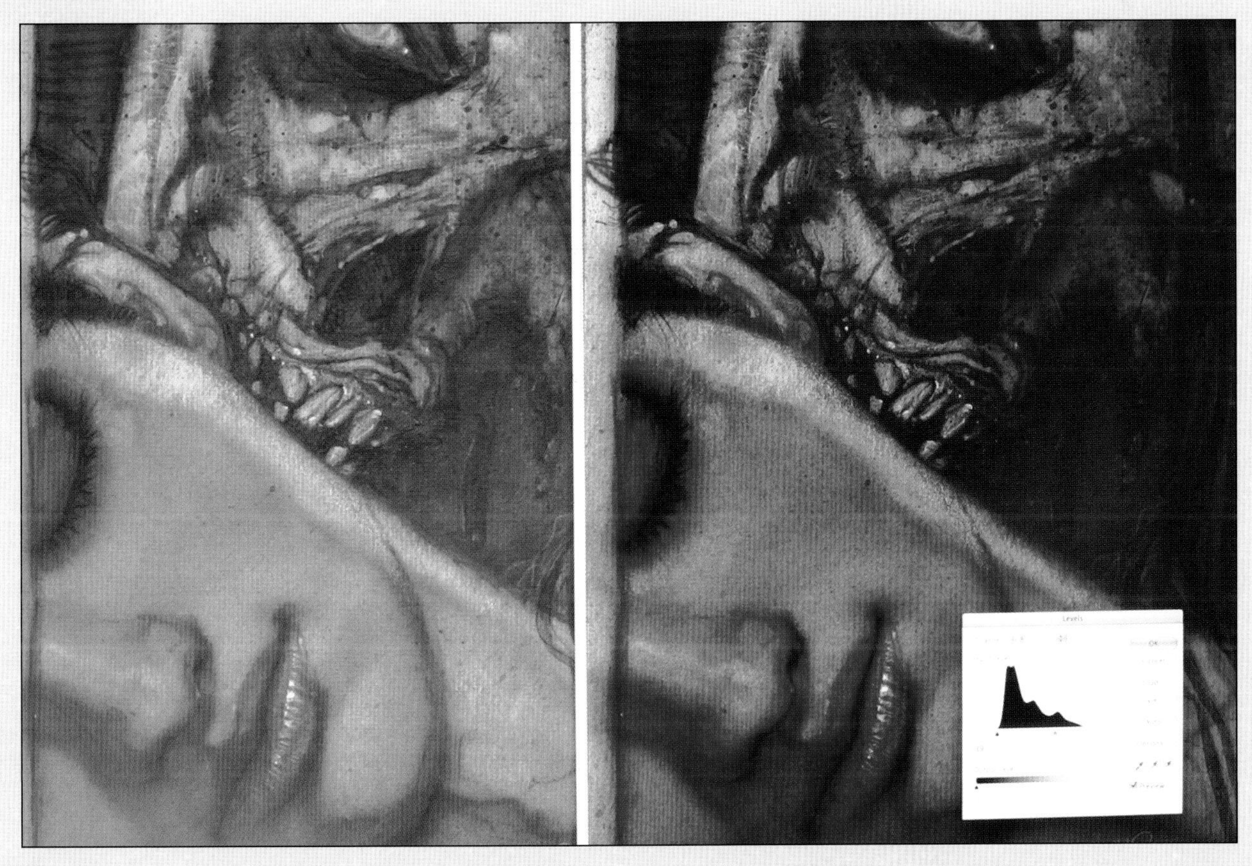

Paso once Aquí vemos una imagen con la pantalla dividida. La imagen de la derecha se logra usando la herramienta niveles de Photoshop® para saturar los valores. Usando los niveles puedes oscurecer o aclarar ciertas áreas, o toda la imagen. (Consulta la página 101.)

▶ **Paso doce** A continuación, selecciona la herramienta brocha. Ponle un diámetro más grande, como de 45 pixeles aproximadamente, y una dureza media. Dale un poco de luz amarilla cálida a la cara del zombi. Elige un amarillo al 3% de la gama de colores y, usando la brocha, pasa ligeramente la cara hasta que quedes satisfecho con el efecto. Luego, selecciona un azul turquesa. Con la misma brocha (ajustando el diámetro del círculo según se necesite), repasa el costado de la cara del zombi y el borde de luz de la chica, con una saturación aproximadamente de 2 o 3%. Después, selecciona un color anaranjado para el resto del tono de la piel de la chica. Luego, ligeramente sacude su cara y cuello con una saturación aproximada de 5%. Esto enfatizará los colores complementarios de la imagen.

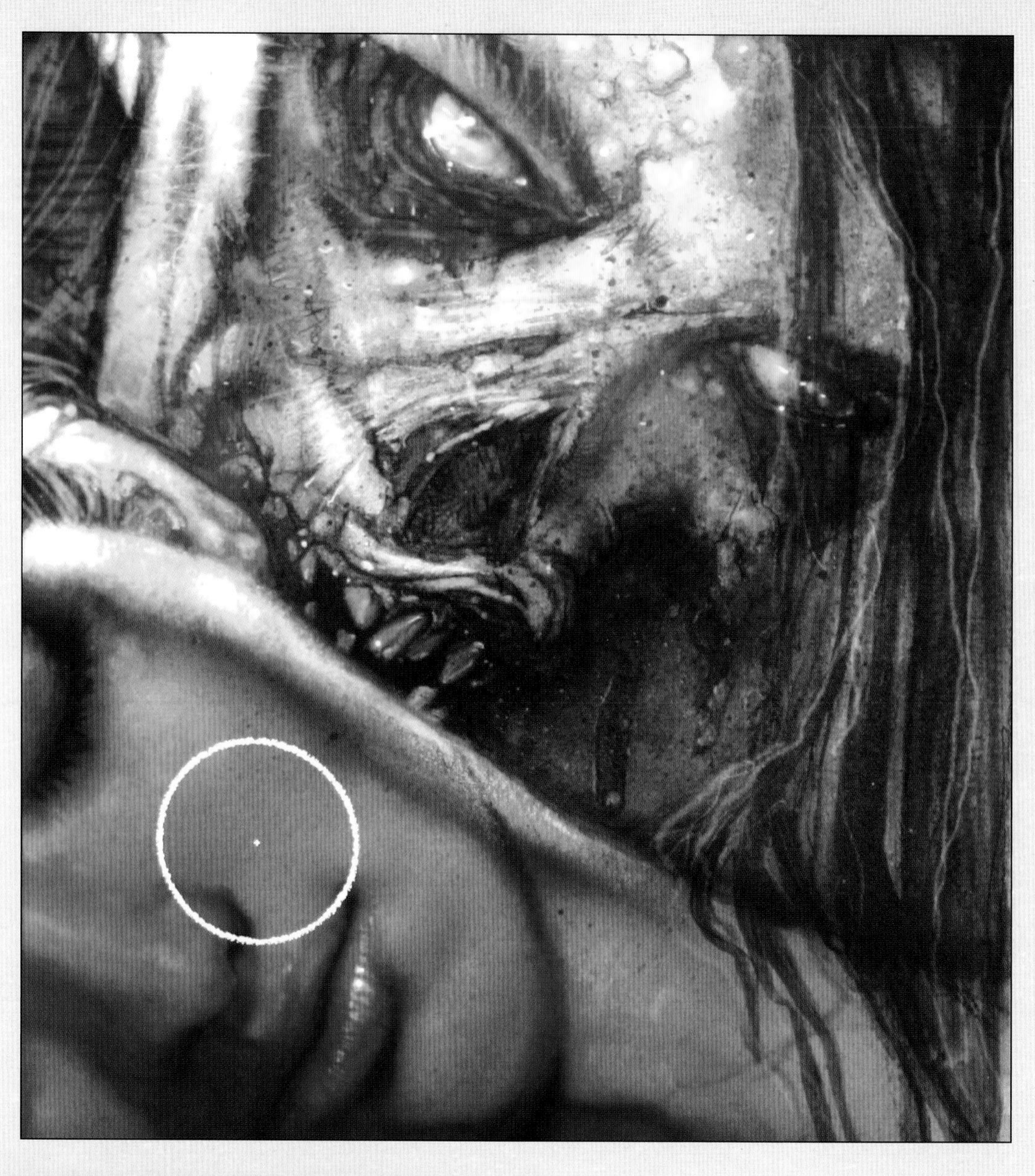

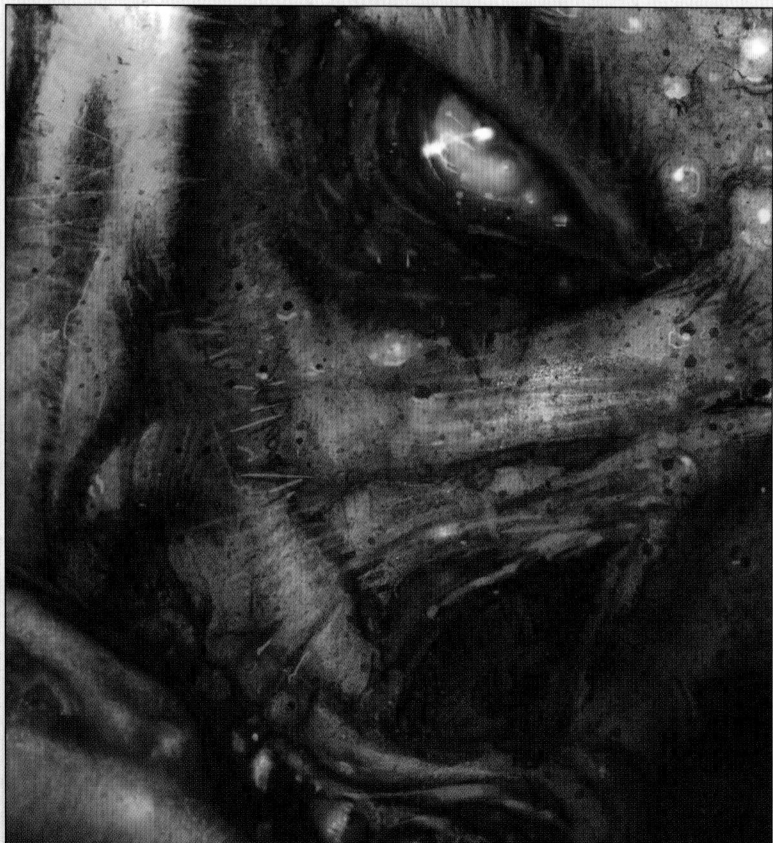

◀ **Paso trece** Cuando uses la computadora, ten cuidado y evita una imagen "generada por computadora". Una manera de lograrlo es añadiendo texturas interesantes. Selecciona la herramienta difuminar y redúcela a 3 pixeles pero conserva la dureza al 100%. Después, repasa los pómulos, la nariz y las cejas del zombi para un efecto más tradicional e ilustrativo. Los ojos del zombi, o la falta de ellos, son parte integral de un personaje muerto viviente. En este caso, usa la herramienta desdibujar y repasa la parte blanca de los ojos para crear una vista turbia. Luego, selecciona la herramienta difuminar y, con un diámetro pequeño, agrega toques de luz extraños, raros.

▶ **Paso catorce** Para el paso final, queremos incorporar los colores cálidos de la cara de la chica con los colores fríos del zombi. Selecciona la herramienta brocha y fíjala en 25 pixeles. Luego, elige otra vez el azul turquesa y retoca ligeramente las áreas de luz de la cabeza y el cuello de ella. Si quieres que el hambriento zombi sea el centro de atención, como lo es en esta ilustración, usa la herramienta niveles para reducir el valor de tu bella durmiente.

Capítulo 4:
Zombis e
Ilustración digital

Material para ilustración digital

La ilustración digital da como resultado una obra sumamente detallada y terriblemente dinámica. A diferencia del dibujo o la pintura, la ilustración digital te permite hacer mejoras drásticas con sólo unos cuantos clicks a un botón. Antes de trabajar en los proyectos de este capítulo, es importante que conozcas bien las herramientas básicas y las funciones de tu programa para editar imágenes (yo prefiero Photoshop®). No obstante, si no tienes conocimientos ni experiencia en ilustración digital, puedes usar estos proyectos como referencia para dibujar o pintar —cada obra de arte comienza con dibujo y pintura a mano.

Lista de material

Para completar los proyectos de ilustración contenidos en este libro, necesitarás los materiales que se enlistan a continuación. Los materiales exactos para cada sujeto se encuentran al inicio de cada proyecto:

- Pinturas acrílicas: negro Marte, gris payno, verde cromo permanente, turquesa oscuro, azul celeste, rojo cadmio claro, café antiguo iridiscente, blanco titanio, rojo cadmio oscuro, amarillo de Turner, amarillo cadmio.
- Paleta para pinturas acrílicas
- Variedad de pinceles chicos para acrílico
- Una brocha grande, como las que se usan para pintar la casa
- Variedad de lápices de colores (gris 30% frío, y negro)
- Papel calca
- Tabla de conglomerado (8" x 10")
- Papel vegetal o vitela
- Fijador en aerosol
- Mate medio
- Aerógrafo (opcional)
- Una computadora con Photoshop®
- Escáner

Computadora

Para lanzarte a la aventura de la ilustración digital, necesitas una computadora, un escáner y un programa para editar imágenes. En el estudio que aparece en la ilustración del lado derecho, verás que puedes configurar varios monitores para un solo sistema de computadora. Esto puede ayudarte a dispersar tu trabajo; puedes conectar los monitores para que la imagen se vea en muchas pantallas, permitiéndote ver muchas más cosas de la imagen de inmediato. También puedes usar los varios monitores para tener varios paneles de control y no estés constantemente minimizando las ventanas para hacer espacio en la pantalla. Aunque es ideal trabajar con muchos monitores, lo cierto es que sólo necesitas uno.

Programa para editar imágenes

Existe una gran variedad de programas para editar imágenes, pero muchos estarán de acuerdo con que Adobe® Photoshop® es el que más se utiliza. A continuación encontrarás un pequeño resumen de algunas de las funciones básicas utilizadas en los proyectos de este libro.

Funciones básicas de Photoshop

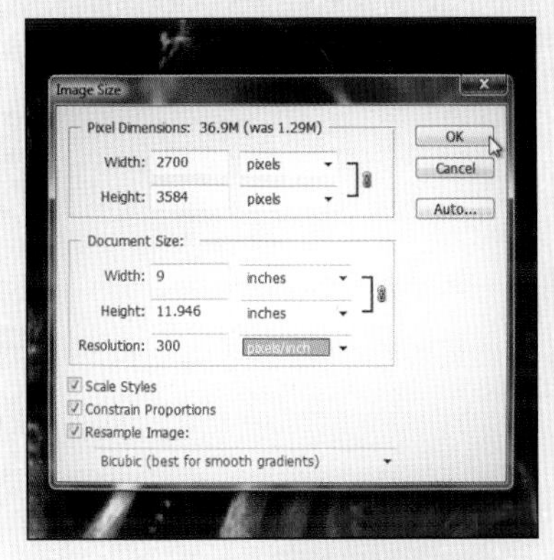

Resolución de imagen: Cuando escanees tu dibujo o tu pintura en Photoshop, es importante que la escanees a 300 dpi (por sus siglas en inglés, puntos por pulgada) y 100% el tamaño original. Un dpi más alto contiene más pixeles de información y determina la calidad con la que se imprimirá la imagen. No obstante, si quieres que la imagen sea sólo una obra de arte digital, puedes elegir un dpi bajo, de 72. Mira el dpi y el tamaño en el menú: Imagen › Tamaño de la imagen.

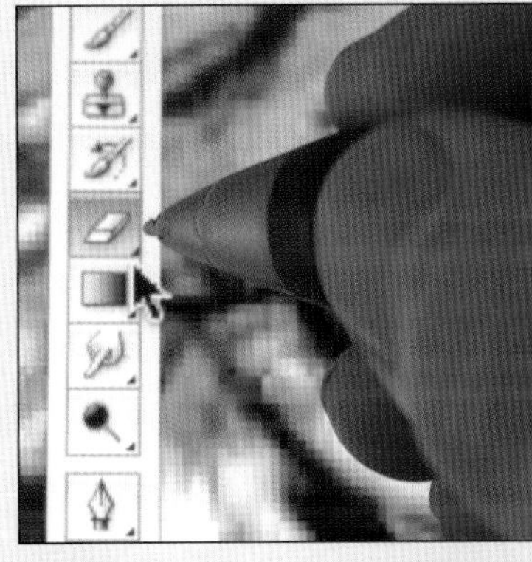

Herramienta Goma: La herramienta goma está en la barra de herramientas básica. Cuando trabajas en una capa del fondo, la herramienta elimina pixeles para dejar al descubierto un fondo blanco. Puedes ajustar el diámetro y la opacidad del pincel para controlar el ancho y la fuerza de la goma.

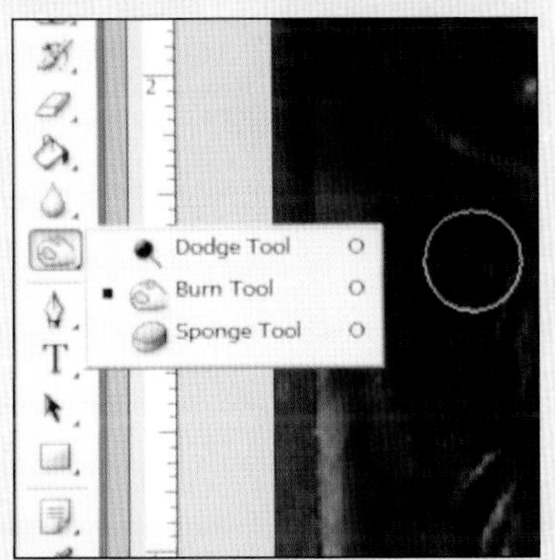

Herramientas difuminar y quemar: Las herramientas difuminar y quemar, términos tomados prestados del viejo cuarto oscuro, también se encuentran en la barra de herramientas básica. *Difuminar* es sinónimo de aclarar y *quemar* es sinónimo de oscurecer. En la barra que está debajo de "rango", puedes seleccionar luz, tonos medios o sombras. Selecciona el que quieras difuminar o quemar de los tres, y la herramienta trabajará solo en esas áreas. Ajusta el ancho y la exposición (o fuerza) a tu gusto.

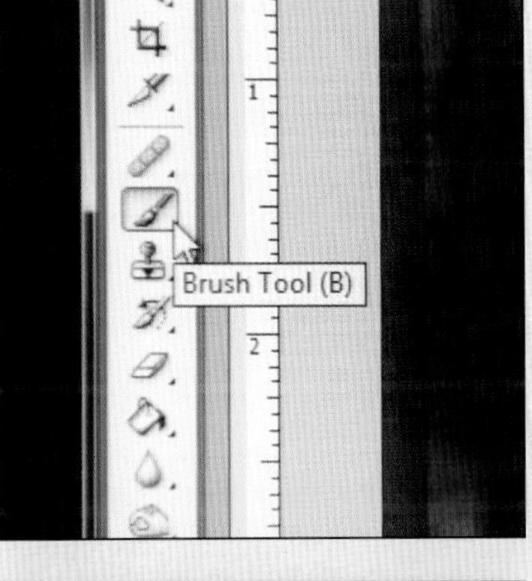

Herramienta Brocha: La herramienta brocha, que está en la barra de herramientas básica de Photoshop, te permite aplicar varias capas de color a tu lienzo. Igual que con las herramientas goma, desvanecer y quemar, puedes ajustar el diámetro y la opacidad de la brocha para controlar el ancho y la fuerza de las pinceladas.

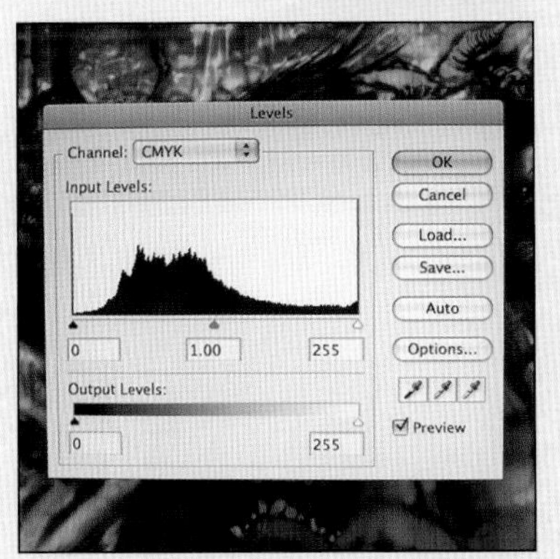

Niveles: Con esta herramienta (en el menú Imagen › Ajustes), puedes cambiar el brillo, el contraste y el rango de valores de una imagen. El negro, el tono medio y el blanco de la imagen son representados con los tres marcadores en el fondo del gráfico. Desliza estos marcadores horizontalmente. Si mueves el marcador negro a la derecha, oscureces la imagen completa; si mueves el marcador blanco a la izquierda, aclararás toda la imagen; y si deslizas el marcador medio a la derecha o a la izquierda, aclararás u oscurecerás los tonos medios respectivamente.

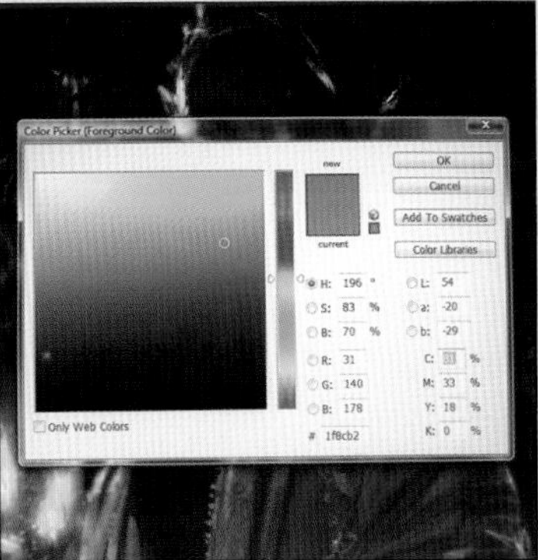

Elección de color: Elige el color de tu "pintura" en la ventana de los colores. Selecciona el tono haciendo click en la barra de color vertical, después mueve el cursor circular alrededor de la caja para cambiar el tono del color.

Romance zombi

Todos necesitamos una dosis de literatura romántica de vez en cuando, hasta los muertos vivientes. Por eso, en esta ilustración crearemos un romance zombi digno de portada de libro. ¿Quién dijo que el romance había muerto?

Materiales

- Pinturas acrílicas: amarillo cadmio, rojo cadmio claro, verde cromo permanente, azul celeste, negro Marte, amarillo de Turner.
- Una brocha, como las que se usan para pintar la casa
- Pinceles chicos para acrílico
- Paleta
- Papel calca
- Tabla de conglomerado
- Fijador en aerosol para trabajar en él
- Mate medio
- Una caja de lápices de colores
- Aerógrafo (opcional)
- Computadora y Photoshop®
- Escáner

▲ **Paso uno** Siguiendo el boceto (arriba), crea un bosquejo con un lápiz rojo y papel calca. (Puedes transferir este boceto, consulta "Cómo transferir un dibujo", en la página 25.) Después de marcar los bloques del dibujo, sácale una fotocopia. Rocía la fotocopia con el spray fijador y sumérgela en agua un par de segundos. A continuación, móntala en la tabla de conglomerado y fíjala con una mezcla 50% mate medio y 50% agua.

▲ **Paso dos** Una vez seca, empieza a aplicar algunos colores con un pincel mediano para acrílico. Para las llamas, utiliza una mezcla de amarillo cadmio y rojo cadmio claro combinados con una buena cantidad de agua. Para los zombis, usa una combinación muy rebajada con agua de verde cromo permanente y azul celeste.

◀ **Paso tres** Con el aerógrafo, rápido marca las sombras, las sombras principales y más colores para el tono de la piel. Luego, rocía un poco de amarillo de Turner en el pecho del zombi masculino para reflejar los colores de las llamas. Suaviza el cabello y alborótaselo en la punta, la técnica es similar a la de las llamas –esto creará un efecto dramático. Si no tienes aerógrafo, haz capas delgadas de aguadas de pintura y aplícalas en los bordes para una apariencia suave.

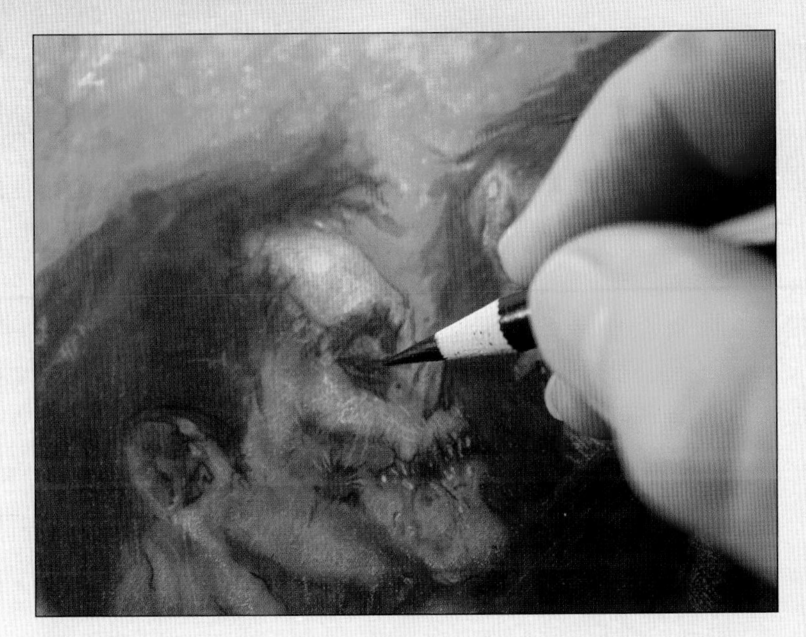

Paso cuatro A continuación, cambia a lápices de colores y comienza a dibujar en la ilustración. Con un lápiz negro, agrega acentos a los ojos, las cuencas, la nariz y las comisuras de la boca.

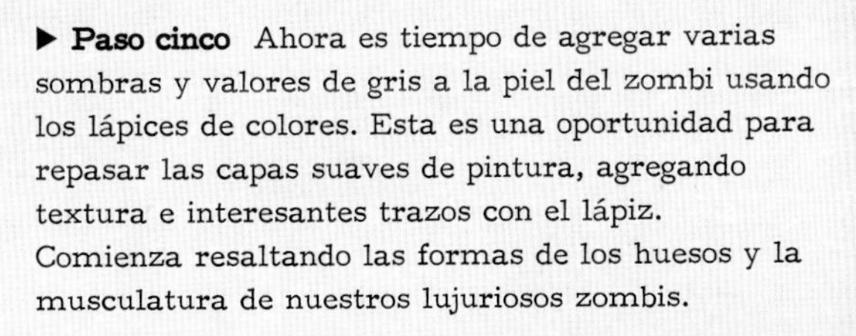

▶ **Paso cinco** Ahora es tiempo de agregar varias sombras y valores de gris a la piel del zombi usando los lápices de colores. Esta es una oportunidad para repasar las capas suaves de pintura, agregando textura e interesantes trazos con el lápiz. Comienza resaltando las formas de los huesos y la musculatura de nuestros lujuriosos zombis.

◀ **Paso seis** Aún con los lápices de colores, maquilla a nuestra mujer fatal. Luego, pon más toques de luz en él. Asegúrate de trabajarle facciones estilizadas y atractivas.

Paso siete Agrega algunos hoyos en todas las formas de los zombis para hacer énfasis en la frágil naturaleza de sus cuerpos esqueléticos. Hazlo pintando formas con bordes escuetos, usa negro Marte muy diluido en agua. Para añadirles profundidad a esos hoyos, vuelve a tomar el lápiz negro y oscurece el centro de las formas.

Paso ocho Para aumentar la intensidad de la imagen, vuelve a tomar un pincel y agrega un poco de rojo cadmio claro y amarillo de Turner al fuego. Conserva tus trazos como manchones, pero asegúrate de que vayan en una dirección. Después, con un rojo cadmio claro y amarillo de Turner diluidos, esparce unas gotas de pintura sobre los zombis para darles textura. Ahora que está hecha el 90% de la ilustración, escanéala en la computadora. En Photoshop® puedes agregar rápido y eficazmente algunos detalles increíbles y jugar con los efectos especiales.

Paso nueve Primero experimenta con las llamas alrededor de los dos amantes. Luego, selecciona la herramienta brocha y entra a la barra de opciones. Reduce el diámetro de la brocha, baja el nivel de dureza y elige un amarillo claro de la paleta de colores. Con esto, los tórtolos se acercan más al primer plano.

Paso diez Un brillante fuego ardiente es un excelente fondo para nuestros amantes. Entonces, aumenta el tamaño y la opacidad de la brocha, y luego elige un amarillo cálido, intenso de la paleta. Los bordes de las llamas deben ser anaranjados para conservar el realismo. Fíjate que es importante que no descuides las figuras y los trazos, aunque trabajes en la computadora. Luego delinea a los zombis con un fuerte rojo anaranjado para hacerlos vibrar.

◀ **Paso once** Agrega más amarillo a su piel y dientes. Si eres un zombi, no te importan los detalles como el mal aliento o la higiene.

▶ **Paso doce** Para el paso final, elige la opción niveles y oscurece a los dos personajes. Esto aumenta la saturación de color y los separa de las llamas. Esta pintura es lo que se usaría como boceto de color de producción o composición de color. Transmite las emociones de los personajes y la historia sin tener que convertirla en una ilustración terminada.

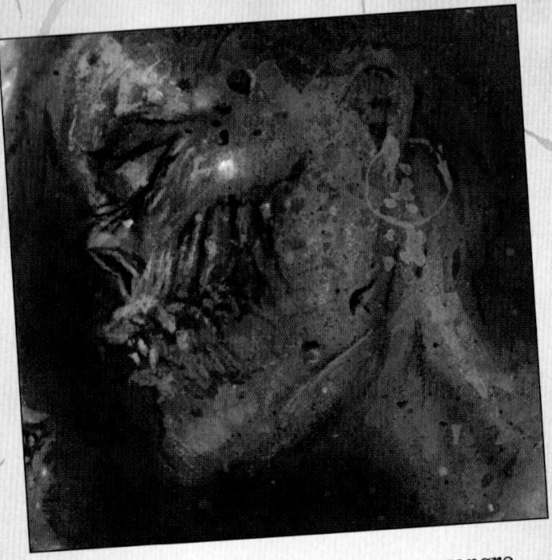

Rostro El labial rojo de ella parece sangre, así que para hacerla lo más horripilante, y crear un juego divertido en el que el labial se corre durante un arrumaco lujurioso, usa la herramienta brocha y elige un tono de rojo muy intenso. Asegúrate de que la "dureza" de la herramienta sea suave, y comienza a pintar alrededor de la boca. Luego, aumenta la dureza de la brocha y la opacidad, y agrega manchas de sangre en sus mejillas.

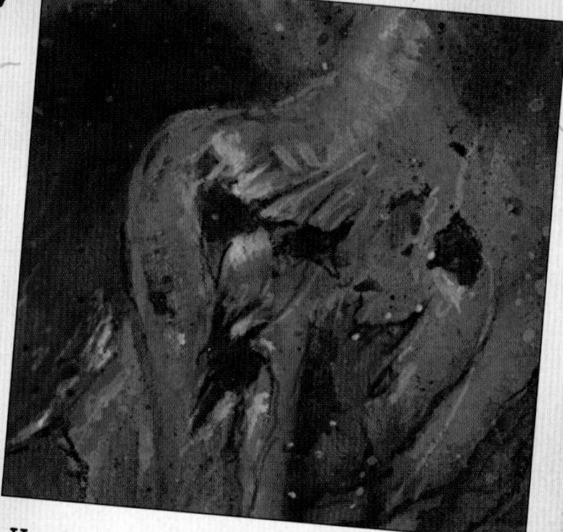

Hombro Aunque nuestra zombi deja al descubierto mucha piel, está prácticamente en los huesos. Para resaltar la naturaleza reflectiva de la superficie huesuda, agrega toques de luz alrededor de los bordes de los hoyos fracturados.

Mano La mayoría de los artistas piensa que dibujar una mano es difícil y requiere mucho tiempo, pero lo único que necesitas es el número correcto de dedos y una imagen de la forma. Los ojos del espectador lo aceptarán porque la mayor parte del tiempo vemos las manos con la visión periférica, y no como el centro de atención principal. Aún usando la herramienta brocha, selecciona un rojo más oscuro y pinta alrededor de las yemas de los dedos. Luego, escoge un rojo cereza profundo y aumenta la opacidad. Pinta hoyos profundos en el rojo más claro para indicar la profundidad de las heridas que ella le causa a su amante.

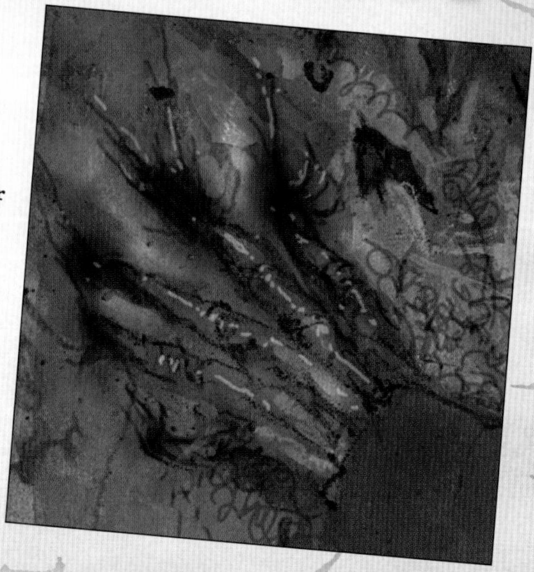

Reina vudú

En este proyecto crearemos lo que se conoce como boceto de concepto del color o boceto de producción, no una ilustración terminada. Este tipo de composición se usa para darle al director o al productor una idea del diseño y el ambiente del personaje.

Materiales

- Pinturas acrílicas: negro Marte, gris payno, verde cromo permanente, turquesa oscuro, azul celeste, rojo cadmio claro, marrón antiguo iridiscente, blanco titanio, rojo cadmio oscuro, amarillo de Turner.
- Brocha, como la que se usa para pintar la casa
- Paleta
- Variedad de pinceles chicos para acrílicos
- Papel calca (7" x 10")
- Tabla de conglomerado (8" x 10")
- Fijador en spray
- Una caja de lápices de colores
- Mate medio
- Aerógrafo (opcional)
- Computadora y Photoshop®
- Escáner

Paso uno Empieza a tu reina vudú con un boceto, marcando las líneas principales y las formas de la composición.

Paso dos Ahora, haz un boceto de tu boceto con un lápiz rojo en una hoja de papel calca de 7" x 10". (Puedes transferir este boceto, consulta "Cómo transferir un dibujo", en la página 25.) Una vez que estés satisfecho con el boceto, sácale una copia a color. Luego, saca la copia al exterior y rocíala con el fijador. Cuando seque, mójala y móntala en la tabla de conglomerado y fíjala cubriéndola con una capa de 50% agua y 50% mate medio. Este paso es crucial porque te permitirá trabajar en una superficie plana y sin distorsiones. Una vez que la tabla está seca, comienza a aplicar los colores: azules y morados fríos para el fondo, y tonos más cálidos para la reina vudú. Asegúrate de disolver los colores en mucha agua.

▲ **Paso tres** Después de aplicar las aguadas, saca el aerógrafo para crear un efecto más suave y acelerar el proceso de la etapa inicial de aplicación. Toma un poco de marrón antiguo iridiscente y mézclalo con un poco de rojo cadmio oscuro, coloca la mezcla en el aerógrafo y aplica en la cara y el pecho. Si no tienes aerógrafo, aplica aguadas delgadas fundiendo con suavidad las sombras para crear forma.

▲ **Paso cuatro** A continuación, con el aerógrafo (o con pintura) marca los valores más oscuros que corresponden a los pliegues de su bata usando una combinación de gris payno, turquesa oscuro, rojo cadmio claro y verde cromo permanente. Cuando no cuentas con una referencia, la clave para que esos colores luzcan reales es usar los colores del fondo. Entonces, también, imagina qué clase de fuente de luz le corresponde al sujeto. En este caso, queremos que sea una luz muy cálida.

▲ **Paso cinco** Para los toques de luz y las arrugas de los pliegues de la bata, mezcla un poco de blanco titanio con una buena cantidad de agua y aplícala con un pincel chico para acrílico. Esto creará un contraste agradable entre los trazos obvios del pincel y la suavidad del aerógrafo.

Paso seis Usa una variedad de lápices de colores para dibujar los rasgos faciales de la reina y los toques de luz en la piel, y para reforzar el diseño del turbante. A diferencia de los zombis, la piel de nuestra reina vudú está intacta, así que procura que sus facciones sean sutiles y los colores pastel.

◀ **Paso siete** En esta imagen, queremos comunicar la fuerza y magia que posee, así que empieza a dibujarle tatuajes exóticos, joyería de ornamento y diseños complicados en su bata.

▶ **Paso ocho** Termina los tatuajes de la cara y empieza a trabajar con la fuente de luz. Debe provenir de un grupo de velas en la parte inferior izquierda de la ilustración. Con un pincel pequeño, usa amarillo de Turner y crea formas de llamas gráficas. Para suavizar las llamas y hacerlas brillar, usa el aerógrafo para rociarlas con amarillo de Turner o aplica una aguada delgada de pintura.

◀ **Paso nueve** Mezcla un poco de amarillo de Turner con rojo cadmio claro, y usa un pincel chico para agregar este color a las llamas de las velas. Con la misma mezcla, llena el aerógrafo y rocía ligeramente las flamas otra vez (o aplica capaz delgadas de pintura). Luego, utiliza estos colores cálidos para resaltar el turbante y todas las áreas a las que llega la luz de la vela. También puedes agregar más piezas de joyería mística indicando rápidamente las figuras con un pincel muy pequeño. Sólo resalta esas figuras con toques de luz cálidos para darles el terminado.

▶ **Paso once** Cuando termines de pintar la ilustración a mano, escanéala en Photoshop®. En este punto, comenzaremos a agregar un cráneo demoniaco que emerge de las espirales de humo de las velas. Comienza definiendo las formas de las sombras de cráneo humano normal. Después, selecciona la herramienta brocha y ajusta el tamaño del diámetro. Elige un color índigo oscuro de la paleta y empieza a dibujar las figuras. En esta ilustración no usaremos capas.

Paso doce Termina el resto del cráneo de la misma forma. Luego, empieza a agregar figuras oscuras alrededor de las llamas para transmitir las características transparentes de las bocanadas de humo. Todo esto se hace usando la misma herramienta y el mismo color, sólo ajusta la opacidad, la dureza y el tamaño de la brocha conforme sea necesario.

Paso trece Para una apariencia más siniestra, selecciona niveles y reduce considerablemente los valores de toda la ilustración. Después, suaviza los bordes de la reina vudú usando la herramienta suprimir. Cambia el rango a sombra, mantén la exposición baja y repasa su silueta.

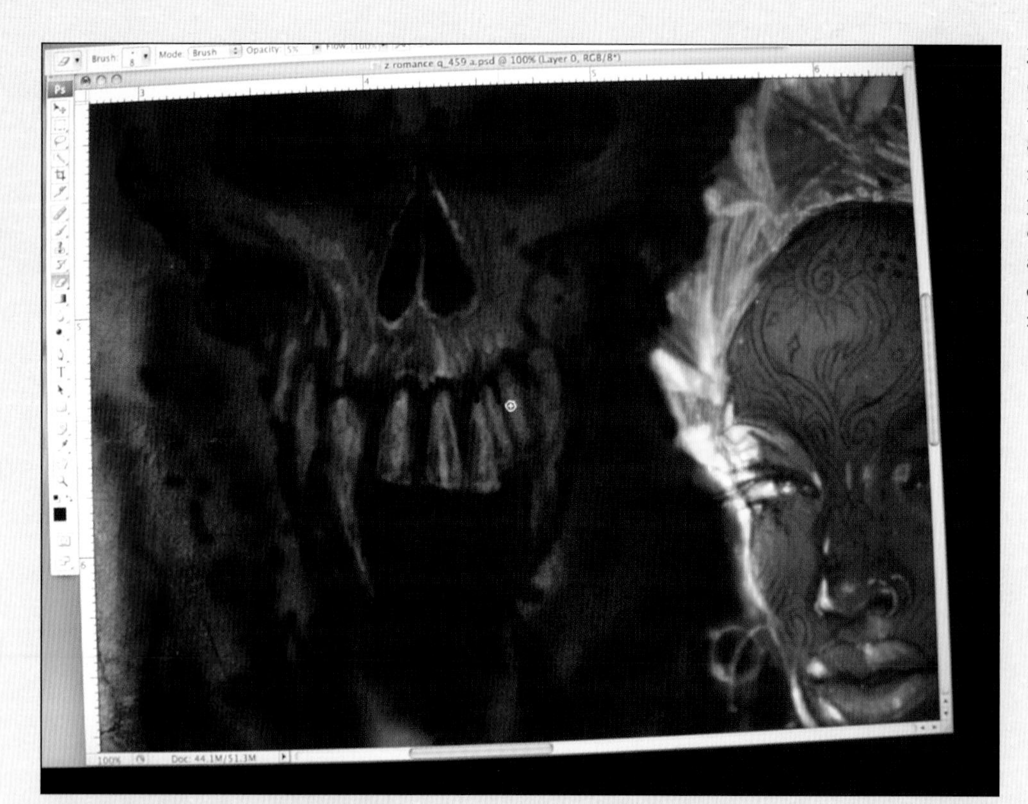

Paso catorce En este paso, el cráneo cobra vida. Elige la herramienta suprimir, ajusta su diámetro según sea necesario, haz click en reflejo para el rango y reduce la exposición. Luego, comienza a agregar toques de luz a los dientes, la cavidad nasal y las mejillas.

◀ **Paso quince** Para crear el humo que sale del cráneo, simplemente usa la herramienta goma con una opacidad del 7% y una dureza de 0% para los bordes externos.

▶ **Paso dieciséis** Realza los toques de luz de los ojos, el turbante, y los bordes de la bata seleccionando la herramienta brocha y eligiendo un amarillo limón intenso de la paleta. Conserva la dureza de la brocha suave para mantener un efecto brillante. Repito, la ilustración se considera un boceto de producción y se usa solamente para reflejar el gusto del personaje y la historia. No es necesario que se le concluya.

Zombi asesino

Esta ilustración presenta a un asesino zombi a sueldo, listo y dispuesto a hacer el trabajo sucio, por un precio. Para esta pieza, usaremos Photoshop® para teñir y resaltar la ilustración. Este procedimiento funciona muy bien cuando se trata de un dibujo de producción o el diseño del personaje, y necesitas crear variaciones en la atmósfera y el tono sin invertir mucho tiempo.

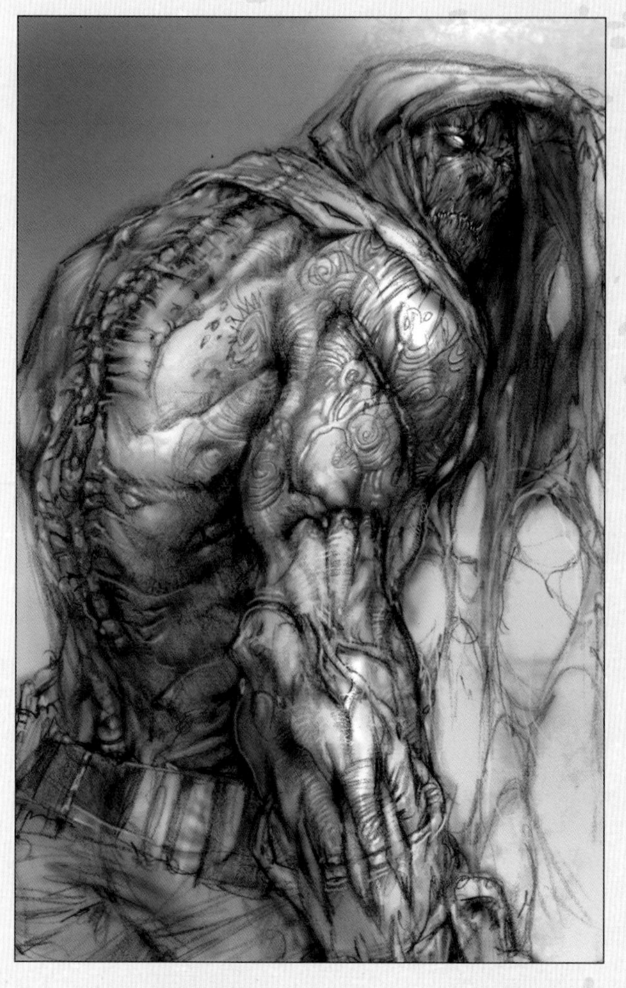

Materiales

- Lápiz color negro
- Papel vegetal o vitela
- Escáner
- Computadora y Photoshop®

▶ **Paso uno** Comienza tu dibujo con un lápiz negro con buena punta en papel vegetal. Aunque este tipo de papel es un poco caro, produce una calidad de línea hermosa y cremosa. Trabaja todos los detalles de la anatomía del zombi y diseña las venas de tal manera que casi parezcan tatuajes. La mayor parte del tiempo se dedicará al dibujo del proyecto. (Puedes transferir este boceto, consulta "Cómo transferir un dibujo", en la página 25.) Cuando termines con todo el valor del dibujo, escanéalo en Photoshop®.

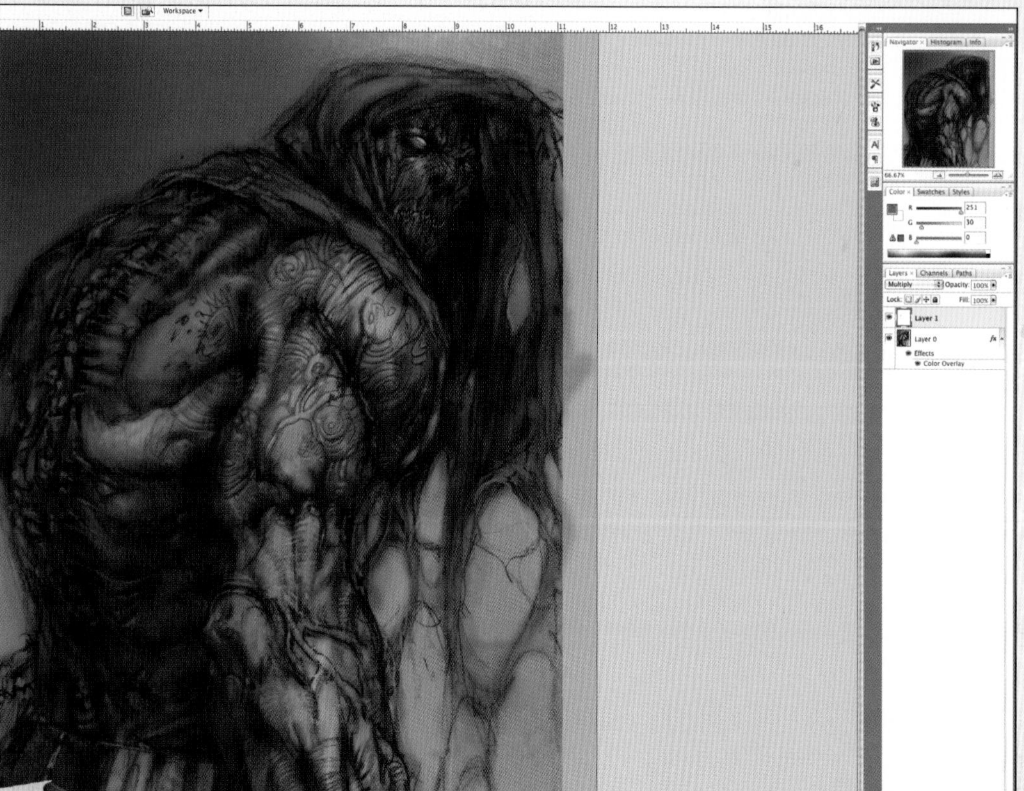

◀ **Paso dos** Una vez que escanees el dibujo, comienza a experimentar con los colores. Con la herramienta brocha ajusta el diámetro al tamaño correspondiente y reduce la opacidad para que apliques los colores y los valores. Para este trabajo, necesitarás cambiar el modo en las opciones de brocha a "multiplicar". Comienza con una sombra de verde azulado, luego aplica un par de capas para que puedas seguir experimentando con los colores, si lo deseas.

Paso tres Para complementar el verde azulado, selecciona un gris cálido con un tinte de amarillo y repasa toda la imagen. Aumenta el tamaño de la brocha y reduce la dureza a 10%. También baja la opacidad para que el color actúe como un velo delgado sobre la ilustración. Luego, realza partes de su musculatura para que la ilustración tenga una sensación más orgánica.

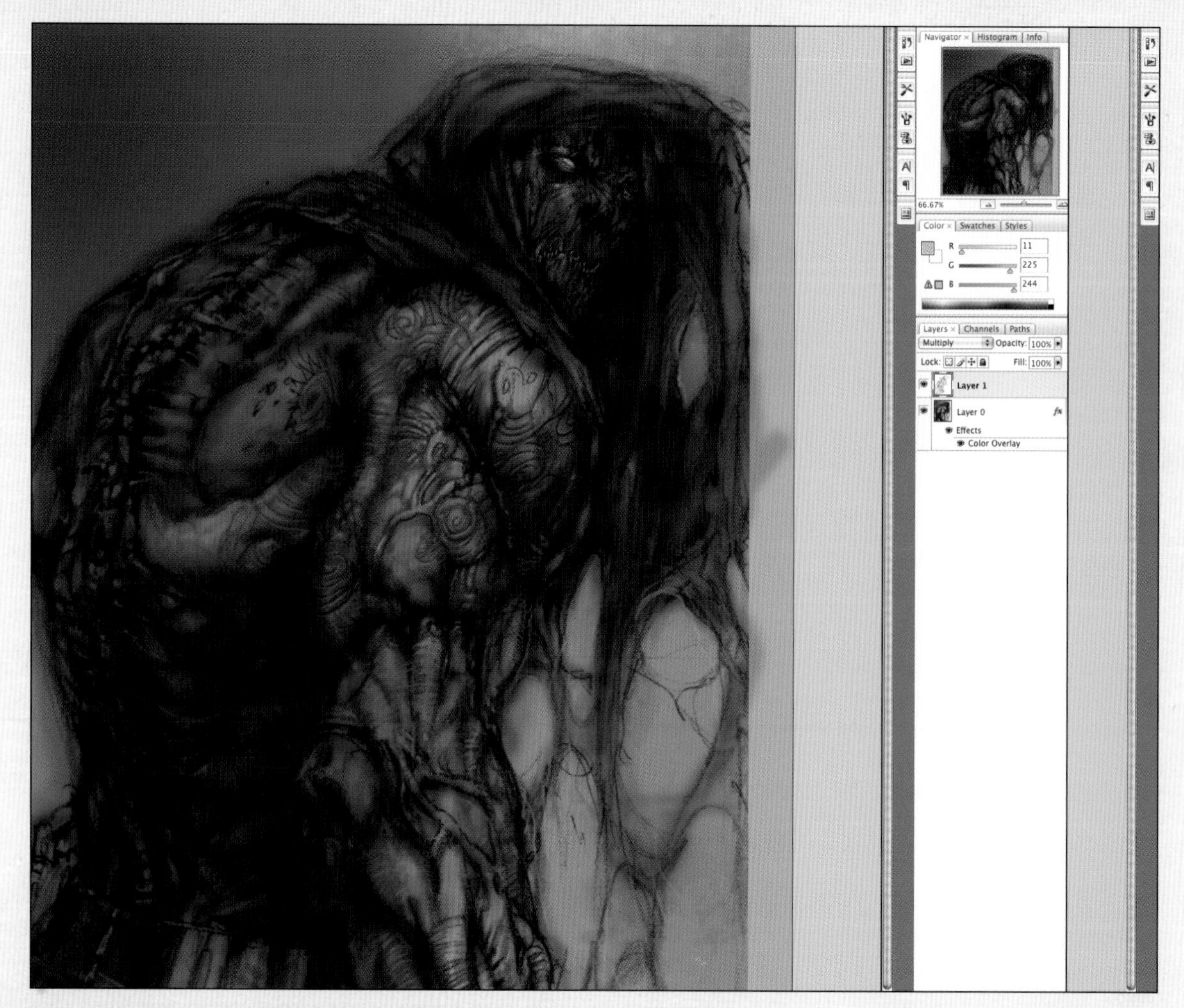

Paso cuatro Para más saturación, selecciona niveles y oscurece toda la imagen en 10%. Después, elige un color magenta que armonizará con el verde azulado, y aplica un poco a la capucha hecha jirones.

Paso cinco Una vez que estés satisfecho con los valores y el tono, sigue con los toques de luz. Acentúa las dimensiones de la anatomía del zombi asesino seleccionando la herramienta goma. Reduce la opacidad y la dureza a 20% y ajusta el tamaño del diámetro. Luego, aclara despacio los centros de las formas.

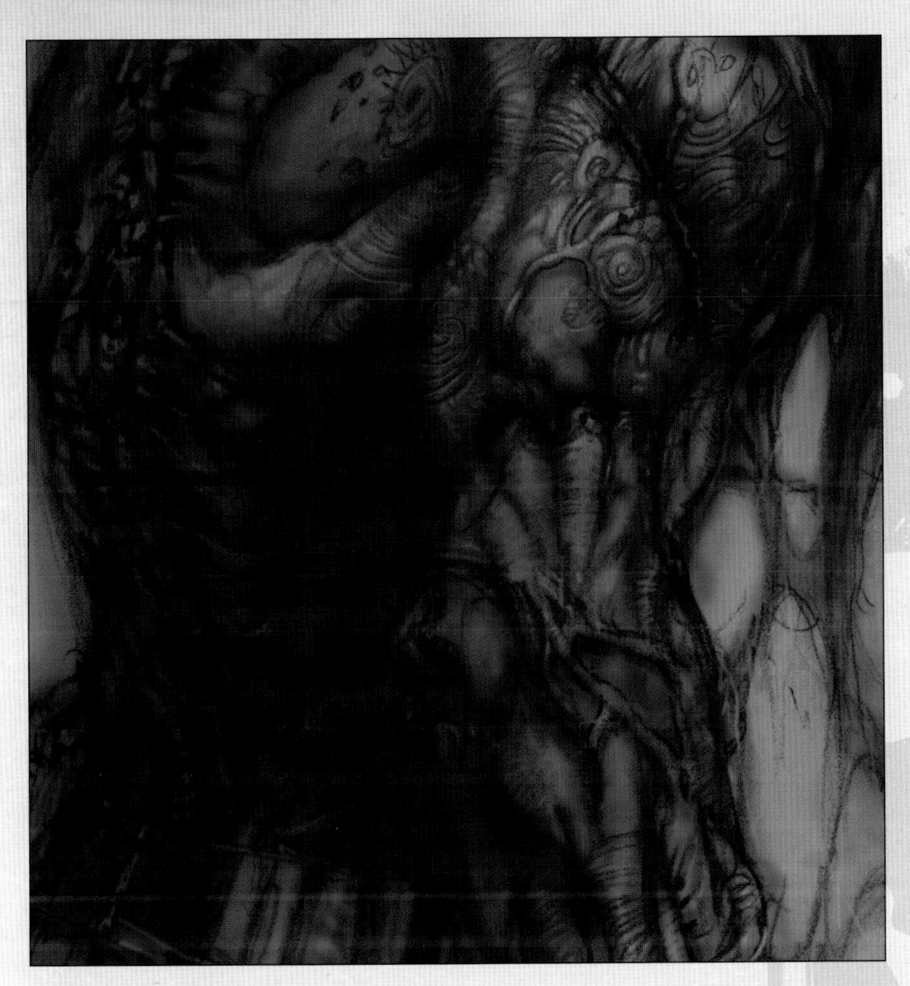

Paso seis Repite el proceso del paso cinco para los ojos y la cara del zombi.

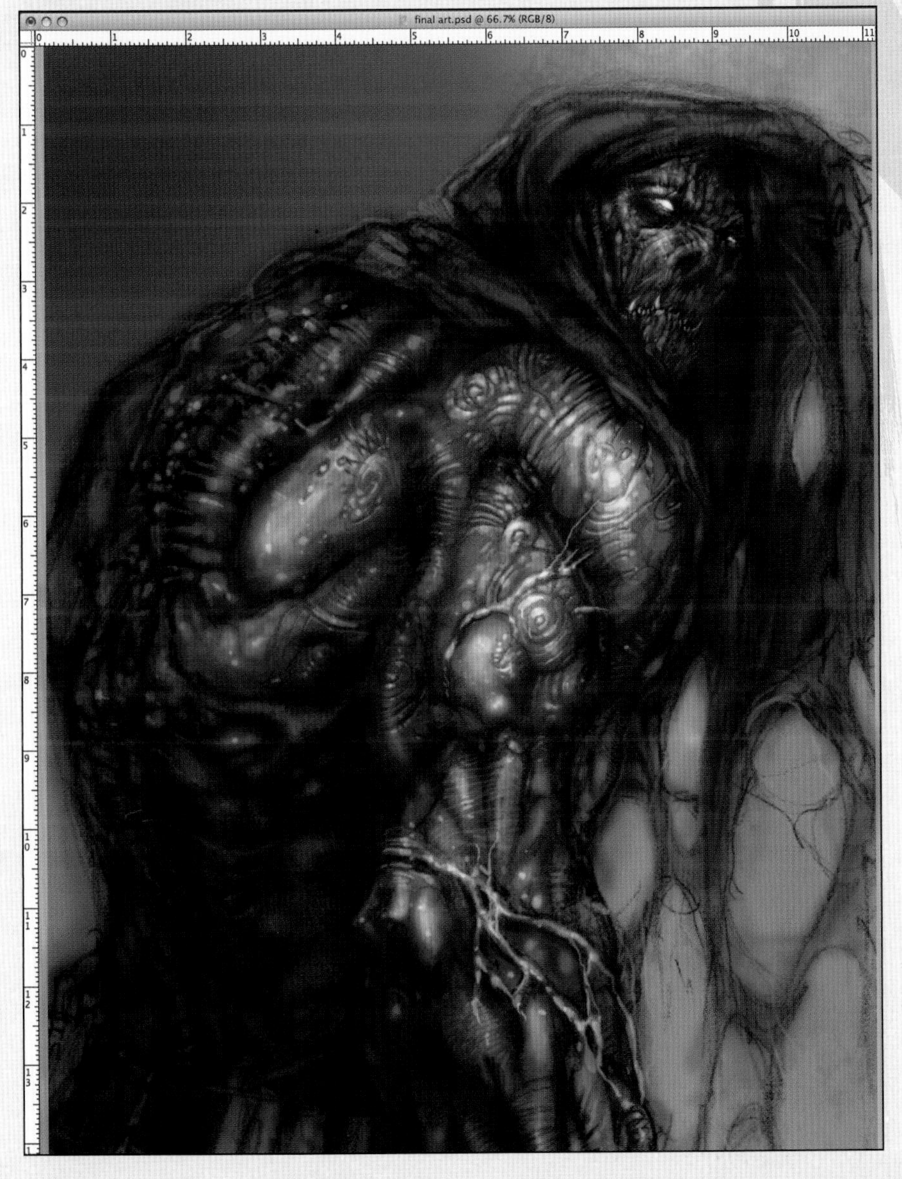

Paso siete Ahora, haremos más prominentes las venas siguiéndolas con una sombra más oscura debajo. Recuerda que las venas deben seguir las formas de los músculos para que se vean reales. Suaviza al zombi ligeramente seleccionando la herramienta suprimir y resalta el hombro. A continuación, elige la herramienta desdibujar y haz click en "aclarar". Conserva la fuerza en 50% y úsala para repasar a todo el zombi.

◀ **Paso ocho** Luego, agregaremos algunas marcas únicas a nuestro asesino muerto viviente, creando diseños que parezcan heridas con sangre. Primero, elige un rojo brillante. Después, con la brocha, comienza a dibujar algunas líneas en zigzag, asegurándote de que sigan la anatomía del zombi. A continuación, sombrea las líneas ligeramente seleccionando un rojo con un valor un poco más oscuro. Haz que sus venas parezcan que están a punto de estallar poniéndolas también de color rojo.

◀ **Paso nueve** Entonces, repite el proceso del paso ocho. Agrégale diseños tribales a la cara y la frente del asesino zombi.

▶ Para el toque final, añade un aparato futurista a su cinturón, dejando al descubierto que este zombi es peligroso, pero tecnológicamente a la moda. Con un verde amarillo fuerte, usa la herramienta brocha y conserva la opacidad y la dureza altas. Luego, sólo pásala rápido por algunas formas y agrega un poco de luz reflejada en su codo y antebrazo, reforzando al zombi y equilibrando la composición.

FESTIVAL DE CINE ZOMBI

Para entrar en ambiente, considera organizar tu propio festival de cine zombi. Invita a un grupo de amigos a tu casa a pasar una noche o el fin de semana. La lista que se presenta a continuación contiene los títulos de películas que contribuyeron a nuestro monstruo moderno. No olvides los aperitivos. No querrás que tus amigos terminen en estado de coma. Los vecinos podrían confundirlos con zombis.

"La legión de los hombres sin alma", 1932, de Edward y Victor Halperin
"Ouanga", 1936, de George Terwilliger
"La rebelión de los muertos", 1936, de Victor Halperin
"Yo anduve con un zombi", 1943, de Jacques Tourneur
"El último hombre sobre la tierra", 1964, de Sidney Salkow
"La noche de los muertos vivientes", 1968, de George Romero
"El regreso de los muertos vivientes", 1985, de Dan O'Bannon
"El amanecer de los muertos", 1978, de George Romero
"El día de los muertos", 1985, de George Romero
"Muertos de miedo", 1992, de Peter Jackson
"Mi novia es un zombi", 1994, de Michele Soavi
"Tierra de los muertos", 2005, de George Romero
"Shaun of the Dead", 2004, de Edgar Wright
"Dead Set", 2008, de Yann Demange

El increíble apocalipsis zombi

Desde que el libro Soy *leyenda* se publicó en 1954, casi todas las películas de zombis incluyen cierta forma de apocalipsis zombi. Desde la película de 1968 *La noche de los muertos vivientes* hasta *Zombieland*, de 2009, el mundo se ve destruido por estos insaciables monstruos muertos vivientes, que son mucho más aterradores porque la mayoría eran los mejores amigos del protagonista.

Materiales

- Lápiz gris al 30%, frío
- Lápiz negro
- Papel vegetal
- Computadora y Photoshop®
- Escáner

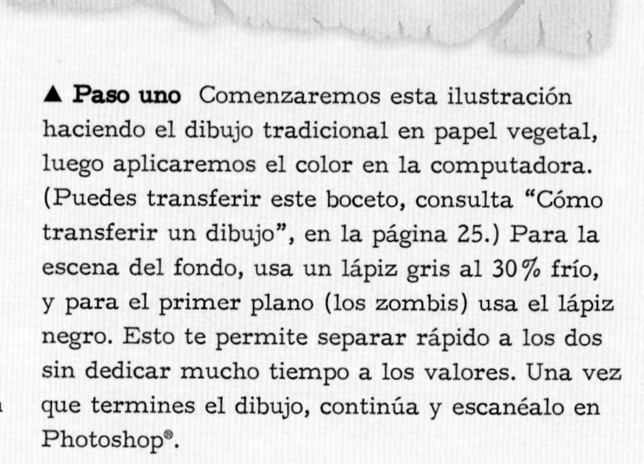

▲ **Paso uno** Comenzaremos esta ilustración haciendo el dibujo tradicional en papel vegetal, luego aplicaremos el color en la computadora. (Puedes transferir este boceto, consulta "Cómo transferir un dibujo", en la página 25.) Para la escena del fondo, usa un lápiz gris al 30% frío, y para el primer plano (los zombis) usa el lápiz negro. Esto te permite separar rápido a los dos sin dedicar mucho tiempo a los valores. Una vez que termines el dibujo, continúa y escanéalo en Photoshop®.

◀ **Paso dos** Primero, crea una capa para el fondo y luego selecciona un color frío para el cielo de la noche. Con la herramienta brocha, elige el modo multiplicar y ajusta el diámetro principal y la opacidad según sea necesario. En este punto, seguimos experimentando con el esquema de color, así que conserva la opacidad clara y despacio aumenta los valores.

▶ **Paso tres** Ahora que el fondo tiene algo de color, ya tienes con qué empezar a trabajar con el zombi que está al frente. Crea una nueva capa. Con la herramienta brocha, selecciona un tono de piel beige frío. Para los dedos y las orejas, elige un color más cálido para darle un poco de realismo.

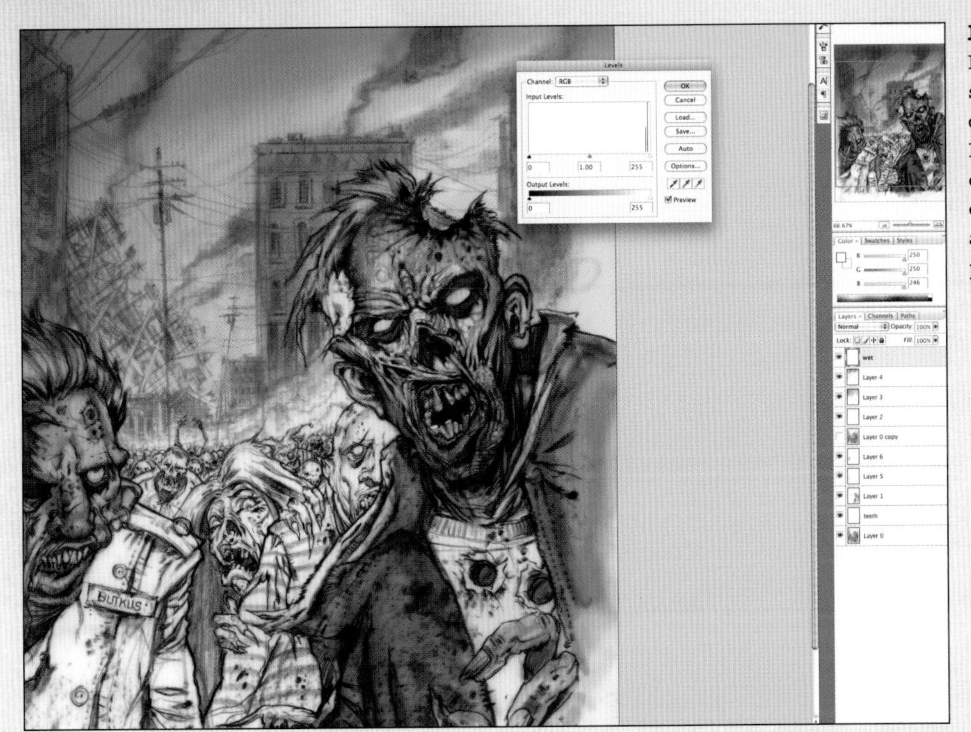

Paso cuatro Ahora, la parte sangrienta. De la paleta de colores, elige un rojo para la sangre. Luego, con la herramienta brocha, delinea las facciones de los zombis y salpica los dientes, los labios y las mejillas. Separa ciertas áreas de los zombis en diferentes capas para que puedas hacer cambios y adiciones con facilidad conforme progresa la pintura.

▶ **Paso cinco** Usa un esquema de color diferente para la piel del zombi más pequeño. Conserva la opacidad de la herramienta brocha en baja, como si estuvieras aplicando aguadas con pinturas reales.

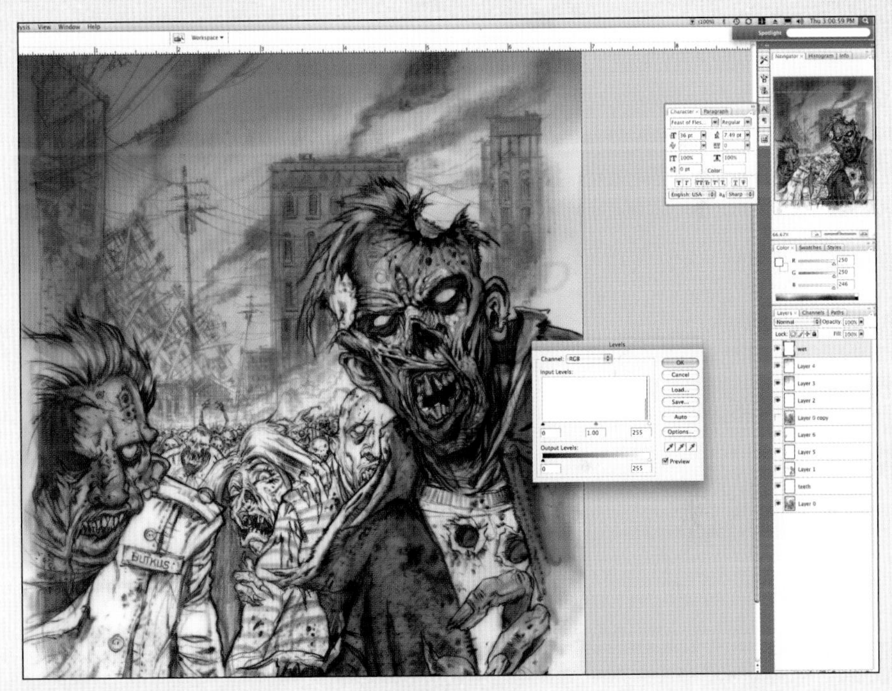

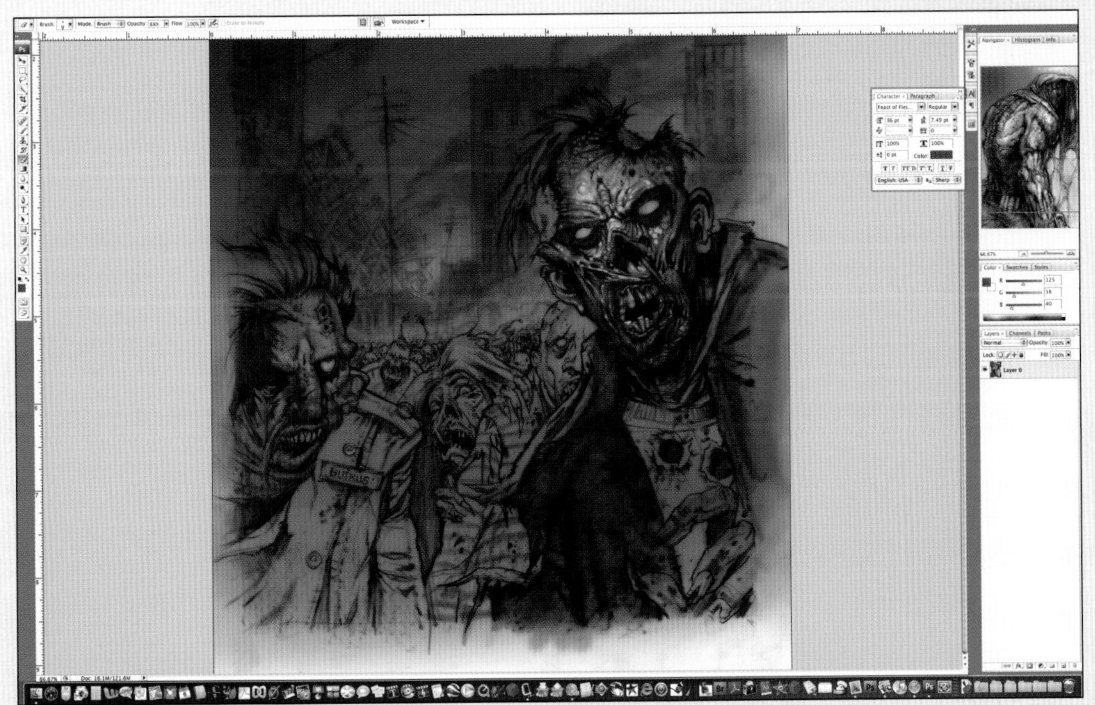

Paso seis Ahora vamos a oscurecer toda la imagen. Crea una nueva capa y selecciona un verde oliva de los colores. Repito, conserva la opacidad baja y aumenta el tamaño de la brocha. Mantén el modo en multiplicar para que las capas de color que están debajo aparezcan. Esto le da a la imagen un efecto más fuerte.

▲ **Paso siete** Ahora que la atmósfera se parece más a lo que buscamos, podemos volver al zombi principal. Agrega más detalles eligiendo simplemente la herramienta goma –conserva la opacidad en 20%. Marca algunos toques de luz a lo largo de las comisuras de la boca, en la frente, los dientes y las mejillas.

▲ **Paso ocho** A continuación, trabajaremos en el zombi más pequeño. Selecciona la herramienta brocha y añade una ligera capa de azul en toda la cara. Luego, con la herramienta goma, marca unos toques de luz para darle más dimensión a las formas. También usa la herramienta goma para dibujar la cara, dándole más textura. En cuanto al cabello, aplica un valor más oscuro a la figura grande y luego, con la herramienta brocha, reduce el diámetro y agrega hebras tenues. Quizá este zombi tenga problemas cutáneos, pero está muy orgulloso de su cabeza llena de cabello.

◀ **Paso nueve** Para la camisa del zombi pequeño, selecciona un blanco grisáceo y usa la herramienta brocha para rellenarla, dejando los pliegues y las arrugas sin repasar para que el dibujo original sobresalga. Luego, para la textura, agrega sombreado en forma de cruz con la herramienta goma.

◀ **Paso diez** Luego, nos concentraremos en la caótica escena del fondo. Resalta ciertas áreas para preparar el escenario para varios incendios. Hazlo seleccionando la herramienta suprimir en el modo resaltar. Para un efecto humeante, conserva la exposición en 30%. Una vez hecho eso, regresa a la herramienta de la brocha y agrega más resaltes con un amarillo frío.

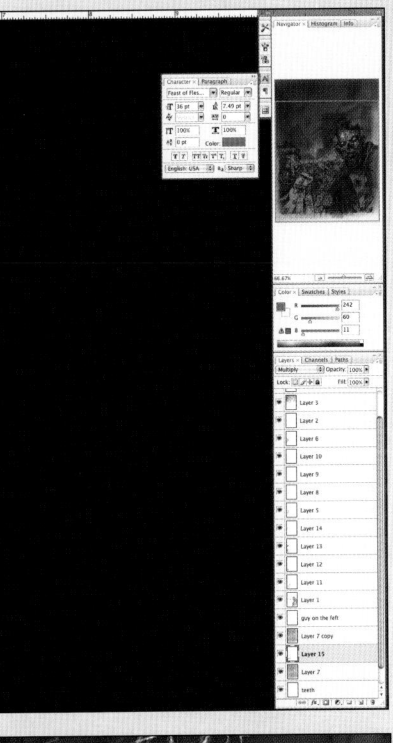

◀ **Paso once** Después, agrega densas nubes de humo usando la herramienta brocha y conservando la dureza muy baja. Recuerda, para que el humo parezca real, debes darle dimensiones. Agrega fuego a las ventanas. Luego, resalta las líneas de teléfono y el edificio que se derrumba usando una punta muy fina para la herramienta brocha. La clave para que la arquitectura se vea real, es conservar las líneas rectas y delgadas y la perspectiva precisa.

◀ **Paso doce** Ahora vamos a dar un paso adelante y agregar la iluminación. Con la herramienta difuminar, ajusta el diámetro y aumenta la dureza. Después, cambia el rango a "reflejos" y aumenta la exposición casi hasta 100%. Dibuja figuras similares a viejas y retorcidas ramas de árbol. Una vez terminado, selecciona la herramienta brocha y agrega toques de luz al relámpago con azul turquesa claro.

▶ **Paso trece**
No necesitarás muchos detalles para la manada de zombis porque los dos principales están muy bien resaltados. Sólo aplica un poco de color a los personajes del fondo con la herramienta brocha.

Paso catorce Con la herramienta brocha, indica rápido las caras de los zombis del fondo. Luego, selecciona la herramienta goma, fija la opacidad en 15% y haz jirones la chaqueta del zombi principal. También agrega textura raída y desgastada al perfil del zombi que está atrás.

▼ **Paso quince** Vamos a volver con el zombi principal, y agrégale algunos de los colores de sus amigos y la atmósfera. Con esto, unimos todo y la pintura se vuelve más unificada. También añade algunos reflejos más a su cara y manos.

▲ **Paso dieciséis** Uno nunca sabe dónde o cómo encontrará inspiración. Mi hija de 6 años me dio una brillante idea: que se incendiara la cabeza del zombi principal. Para seguir su consejo, selecciona la herramienta brocha y aumenta la opacidad para el color de las llamas. Luego, elige la herramienta quemar y agrega una sombra debajo y detrás del fuego. Para que parezca que las llamas salen de la cabeza, elige la herramienta difuminar, aumenta la fuerza a 20% y repasa el área un par de veces.

BUTKUS

La pesadilla termina

¡Felicidades! Sobreviviste a tu primer viaje por Fantasía Underground. En este libro aprendiste a dibujar una variedad de zombis, desde una asesina de zombis adolescente hasta una chica zombi gótica y un zombi asesino. También experimentaste con ilustraciones en blanco y negro, pintura acrílica y manipulación por computadora. Los secretos para dibujar a los muertos vivientes se han revelado, y como dicen en Fantasía Underground: si puedes capturar a la bestia en papel, entonces puedes controlarla. Así que si navegaste con éxito a lo largo de estos proyectos, ahora tú eres un Amo de los muertos vivientes. Puedes seguir dominando a los zombis, de cerca y de lejos, hasta la siguiente aventura de Fantasía Underground.